Le message

ANDRÉE CHEDID

Le message

ROMAN

À ma petite fille Émilie,
qui m'a remise sur les
traces de ce récit.

Tandis qu'elle avançait à grands pas la jeune femme sentit soudain, dans le dos, le point d'impact de la balle. Un mal cuisant, aigu, bref.

Il lui fallait à tout prix arriver à l'heure dite. La rue était déserte. Elle continua sa marche, comme si rien ne s'était passé.

L'illusion ne dura pas.

Autour, les arbres déracinés, la chaussée défoncée, les taches de sang rouillées sur le macadam, les rectangles béants et carbonisés des immeubles, prouvaient claire-ment que les combats avaient été rudes ; et la trêve, une fois de plus, précaire.

Marie venait d'être atteinte d'une décharge dont elle était ou n'était pas la cible. Mais sa plaie était bien réelle. Elle replia son bras vers l'arrière pour palper cette plaie, puis contempla avec horreur sa main baignée de sang.

Marie ne veut pas en savoir plus. La douleur l'a brûlée, transpercée, et, d'un seul coup, lâchée. Cette blessure n'est peut-être que superficielle. Il faut l'ignorer, ne pas en rete-nir l'image. Faire comme si rien ne s'était passé ; ce qui compte, à présent, au-delà même de sa vie, c'est d'arriver à l'endroit où Steph l'attend. À vingt minutes à pied d'ici ; devant la tête de pont, à l'angle du parapet en ciment gris. Elle imagine déjà Steph agitant ses bras à son approche, avant de se précipiter à sa rencontre.

Steph habite beaucoup plus loin, à l'autre extrémité de la ville, parmi les collines, près du chantier de fouilles où il travaille depuis deux ans avec une équipe d'archéologues de différentes nationalités. Plusieurs heures lui auront été nécessaires pour parvenir à leur rendez-vous. Il a sans doute dû se faufiler entre les combattants, courir, s'arrêter, se dissimuler, reprendre souffle, repartir. Son courage domine toujours les événements. Arrivée à proximité du pont, Marie l'aurait aperçu de très loin à cause de sa haute taille. Steph a de larges épaules, un ventre et des jambes musclés, des cheveux d'ébène, des yeux verts. Elle le trouve beau. Il est beau ; on le remarque partout.

Steph affronte les dangers, déjoue les pièges. Il est fantaisiste et réfléchi, téméraire et responsable. Il est sur place, il l'attend ; elle en est persuadée.

La sachant ponctuelle, il pourrait se méprendre sur son retard ; quelles que soient les circonstances, l'un comme l'autre arrivent toujours à l'heure précise.

Après leur dernière rupture, Steph avait cherché à la retrouver, mais le souhaitait-elle aussi ? Il se l'était sans doute demandé et ne le savait pas encore. Ils s'aimaient depuis l'enfance ; dans le tumulte et la passion, mais au-delà de toute mesure.

— Au-delà de toute mesure ! répétait souvent Steph sur un ton à la fois impatient et ironique.

Il s'en voulait parfois de ne pas savoir résister à cette fascination réciproque, malgré leurs natures différentes et leurs tempéraments opposés.

En dépit de nombreux conflits, Marie ressentait aussi la vitalité, la permanence de leur lien. En quel lieu intime de leur être s'enracinait ce sentiment enfoui au fond d'une terre mouvante où logeait cet indéfectible amour. Un sentiment qui s'ensablait, s'empêtrait, s'embourbait, semblait disparaître, pour rejaillir comme une source ; un signe en ce monde fluctuant, éphémère, de résistance et de durée.

Tous les feux de midi s'emparent de la forme vacillante de Marie. Son visage s'embrase, son jeune corps lutte et se cramponne à un équilibre de plus en plus fragile.

Autour d'elle, le périmètre déserté ressemble à une piste de cirque, soumise aux implacables projecteurs d'un soleil incandescent.

L'été se déploie avec faste. Le ciel marivaude, rieur. Quelques nuages laiteux flottent, allègres, avant de se dissoudre lentement dans la nappe lisse et bleue.

La nature est au calme, sereine. Les oiseaux ont déserté.

De ténébreux insectes invisibles, casqués comme des belligérants de science-fiction, munis de terrifiantes antennes, poursuivent sous terre leurs sombres destins de prédateurs. À leur image, les hommes, armés, belliqueux, se sont remis une fois de plus en état de guerre et de carnage.

Ici, comme en d'autres régions, chacun retrouve des raisons de haïr, de châtier, de massacrer. Avec ses bottes gigantesques aux semelles de plomb, l'Histoire rabâche, broyant sur son passage les hommes et leurs lieux.

Sous le soleil féroce, rapace, Marie se débat.

Marie sermonne son corps, lui ordonne de faire face, de lutter. Par moments, ce corps se disloque : les genoux cèdent, le torse se courbe, la nuque ploie. Le sol l'aimante tout entier vers une chute inexorable, un puits sans fin.

Marie reprend les rênes, se ressaisit, tient tête à cette chair en perdition. Sa pensée se mobilise, interroge, inspecte les muscles, les tissus qui se relâchent, les mains qui s'amollissent, les pieds qui glissent. Elle tente de se rassurer, se persuade qu'elle parviendra à tout dominer, à soumettre cette charpente à sa volonté, à son désir violent d'avancer et de se garder en état, jusqu'à la rencontre...

Elle le dirigera ce corps, il se dressera sur ses deux jambes, celles-ci se mobiliseront pour franchir la distance, pour traverser le temps qui sépare Marie du pont et de son amour retrouvé.

Marie déploie sa volonté, toute son habileté ; elle parle à son corps et le flatte : « On y va ensemble, tu n'abandonnes jamais, tu es solide, tu es fait pour durer... » Elle lui parle comme s'il s'agissait de quelqu'un d'autre, comme si la chair et l'esprit étaient soudain séparés et qu'il lui fallait à tout prix les rassembler, les réunir pour vivre encore. Pour vivre !

Elle songe à emprunter des raccourcis, sans doute plus périlleux que cette large rue déserte qui file en ligne droite jusqu'au fleuve, mais où une balle risque encore de l'atteindre. Elle connaît à fond cette cité ; elle y est née et y travaille depuis plus d'un an comme reporter-photographe, ses déplacements à travers d'étroites ruelles elle saurait en venir à bout.

Mais le sang coule largement de sa blessure. Au dos de son chemisier jaune qu'elle vient de tâter une fois encore, la tache rouge s'agrandit, s'amplifie.

Elle veut toujours l'ignorer. Elle l'ignore.

C'était loin. C'était jadis, il y a plus de vingt ans! À trente ans, on peut déjà dire : «Il y a vingt ans, je faisais ceci, j'étais avec ceux-là...» Les chiffres impressionnent toujours; avec le temps on s'y habitue, peut-être? Il faut, peu à peu, s'y faire, pour plus tard, pour après, quand viendra la vieillesse.

C'était loin, jadis. Ici, dans ce pays méditerranéen de leur enfance avant qu'ils n'émigrent vers l'Europe tous les deux.

Un grand mariage, celui du frère aîné de Steph. La cérémonie religieuse fut suivie d'une réception dans la vaste maison familiale : orchestre, buffet, boissons, vœux et plus d'une centaine d'invités.

Cela brillait, résonnait en sonorités et en couleurs. Des femmes en robes de juin, aux étoffes mouvantes et bariolées. Des hommes en costume sombre, rayé, qui mettaient leur coquetterie dans le choix de leurs cravates ramenées de Londres ou de Paris.

Steph avait dix ans. En minaudant, une jeune femme lui avait tendu un verre de champagne. La liqueur lui avait plu; il avait bientôt vidé le fond d'autres verres abandonnés sur les tables.

Marie, entraînée dans ce lieu par ses parents, amis des jeunes époux, avait résisté avant de venir.

— Tu t'amuseras. Il y aura des enfants de ton âge, insistait sa mère.

À la fois égayé et surpris par l'effet de la boisson, Steph se dirigeait en titubant vers le large escalier de marbre qui grimpait vers les chambres. Marie l'aperçut tandis qu'il s'effondrait avant d'atteindre les premières marches. Elle courut vers lui, pour l'aider à se relever.

Il la repoussa :

— Je me relève tout seul. Je n'ai pas besoin qu'on m'aide.

S'accrochant à la rampe, il entama sa montée.

Elle le suivit des yeux tandis qu'il gravissait, dignement, les marches.

Arrivé au premier palier, il se retourna. Toujours cramponné à la rampe, il la salua de sa main libre :

— Amuse-toi, lui lança-t-il.

Elle remarqua son sourire moqueur, son regard fulgurant.

Toutes ces mondanités ennuyaient Marie; cette mise en scène, la robe à traîne, les falbalas; ensuite le babillage des invités, les compliments du bout des lèvres :

— La mariée est si belle, les parents si émus, que de fleurs, quel magnifique buffet. Tout ça a dû coûter des sommes fabuleuses... Ils en ont les moyens...

Marie se sentait encerclée, prise dans les filets d'un monde de convenances :

«Je ne me marierai jamais comme ça», se promettait-elle.

Des adultes s'approchaient, la harcelaient de questions. Elle se sentait ridicule, engoncée dans cette robe de taffetas blanche et rose : «Je ne m'habillerai plus jamais comme ça.»

— Comme tu as grandi, quel âge as-tu ? À qui ressembles-tu ? Je crois que c'est à son père, non à sa mère, plutôt à sa grand-mère... À quelle école vas-tu ? Qu'est-ce qui te plaît : l'histoire, la géographie, les rédactions... Fais-tu de la danse ?

Personne ne se souciait de ses réponses. Suivaient alors des baisers vite donnés, vite reçus, vite oubliés. Elle eut envie de fuir. Puis, l'orchestre se mit en branle.

Alors Marie écarta les bras, se dressa sur la pointe des pieds et s'envola !

Se faufilant parmi les danseurs, elle virevolta comme une hélice. Les yeux mi-clos, Marie improvisait sa danse, inventait sa liberté. Marie tournait, tournait, jusqu'au vertige. C'était bien! C'était bon. Elle se sentait dans sa peau. Le rythme s'emparait de son corps, de son souffle. Elle était ailleurs. Ça ressemblait au bonheur.

Attiré par la musique Steph était lentement revenu.

Assis sur les dernières marches, il regardait Marie tourbillonner parmi la foule. Cette danse solitaire, enjouée, désinvolte, lui avait plu. Il se retint pour ne pas applaudir.

L'un et l'autre ne devaient plus se revoir avant une dizaine d'années.

Marie a du mal à garder les yeux ouverts. Elle tente de maîtriser son regard, malgré elle ses paupières se rabattent. Elle se concentre sur ses yeux et cherche à les imaginer globuleux, puissants comme des phares. Elle les écarquille, elle compte sur eux, elle les souhaite éveillés, vigilants. Elle a besoin qu'ils la guident et la conduisent jusqu'à Steph.

Peu à peu il lui faut admettre qu'elle ne pourra pas résister plus longtemps à l'écroulement. Son attention se dilue, son corps devient flasque, spongieux. L'évidence qu'elle rejette, s'impose.

La balle s'est logée entre ses épaules, la blessure pourrait être fatale : elle commence à se l'avouer. Il lui reste tout juste le temps d'avancer lentement, obstinément, pas à pas, vers Steph, et de crier dès qu'elle l'apercevra :

— Je suis là. Je suis venue ! Je t'aime, je t'aime...

Peut-être qu'alors la vie refluera de nouveau. Ou bien pourra-t-elle, au moins, mourir entre ses bras.

Malgré leurs conflits, leurs disputes, leurs séparations ; malgré les étapes parfois chaotiques de leur relation ; malgré leurs brouilles, leur tohu-bohu, leurs controverses ; ils s'étaient un jour promis de ne pas disparaître sans s'être retrouvés. Aux moments les plus abrupts, les plus tumultueux, ils renouvelaient cette promesse :

— Quels que soient nos chemins, aux derniers jours je serai auprès de toi.

— Moi aussi.

Ils riaient, pour dissiper le ton mélodramatique de ces paroles. Ils riaient beaucoup ; d'eux-mêmes et de l'existence. Ils se sentaient plus vivants, plus invulnérables, grâce à ce serment, à ce filin d'acier qui les reliait à jamais. L'existence en devenait aventureuse, mais apaisante ; audacieuse mais protégée.

Au loin des coups de feu crépitent. Une rafale, une autre ; puis une autre encore. Depuis un mois la ligne de tir s'était pourtant éloignée de ce quartier.

Parfois quelques francs-tireurs, nichés entre les ruines, prennent plaisir à une chasse individuelle, compétitive ; aussi enivrante que celle d'un chasseur à l'affût du gibier. Ces combattants solitaires arborent des allures de chef, s'attifent de vêtements de combat, se bardent de lanières de cuir. Porter une arme leur confère un statut, flatte leur virilité. Ils ont rapidement appris à manier fusil, revolver, mitraillette, à viser de loin pour atteindre la victime bien au centre du dos ; ou bien de face, en pleine poitrine, en plein cœur :

— Touché !

Souvent ils ignorent la cible, et dans quel but ils ont cherché à l'atteindre. Tout devient prétexte à abattre, à détruire ; avoir un ennemi confère de l'importance. Chacun se prend pour un héros, se pavane en imparable guerrier, ces combattants sans discipline inspirent la crainte et, croient-ils, le respect. Quels que soient leurs camps, ils se sentent investis de l'approbation des leurs. Ils se jugent importants, indispensables à une cause souvent fluctuante ; certains chefs usent d'eux avec profit. Fiers-à-bras, bravaches, autonomes, leur propre intrépidité les exalte.

Exténuée, Marie se redresse une fois encore.

La rue tangue, grisaille. Avec fermeté elle pose son pied sur le sol, fait un pas en avant, suivi d'un second, d'un troisième. Elle les compte, scrupuleusement, à voix haute :

— Sept, huit, neuf…

Au fur et à mesure, l'air s'épaissit, l'emmaillote, l'étreint. Il lui semble marcher dans un nuage de plâtre ; se cogner soudain à une palissade en papier mâché. Les poings en avant, elle attaque l'obstacle imaginaire, que l'effort, le choc font céder. La rue s'éclaircit, se livre. Marie recompte :

16

— Dix, douze... quinze.

Les chiffres ont du mal à prendre forme dans sa tête. Du bout des doigts, elle palpe son front, ses joues ; une ruche bourdonnante fourmille sous sa peau. Ses sensations visuelles, auditives, tactiles s'affaiblissent. Le flou, le malaise la surprennent, la stupéfient.

Elle s'agrippe à l'idée de ce pont qu'il lui faut, à tout prix, atteindre. Cet espoir la lancine, et fait surgir du fond de son être un dernier sursaut de volonté.

Marie résiste à l'écroulement, à la chute, et se force à exécuter encore quelques pas. Bientôt elle ne parviendra plus à compter, bientôt, les nombres s'égareront avant de parvenir à ses lèvres.

La rue se liquéfie, ondule, se dissipe. Marie étire ses bras vers l'avant, allonge ses doigts, presque en aveugle, le plus loin possible, pour amorcer un mouvement du buste et des hanches. Ses muscles l'abandonnent, sa nuque s'amollit, ses jambes défaillent. Son corps redevient cotonneux, ouateux, atone.

L'angoisse de ne pas arriver à l'heure, là où Steph l'attend dans le doute, dans l'impatience, la creuse plus cruellement que cette balle logée entre ses omoplates.

Comment définir cette contrée, comment déterminer ses frontières ? Pourquoi cerner, ou désigner cette femme ? Tant de pays, tant de créatures, subissent le même sort.

Dans la boue des rizières, sur l'asphalte des cités, dans la torpeur des sables, entre plaines et collines, sous neige ou soleil, perdus dans les foules que l'on pourchasse et décime, expirant parmi les autres ou dans la solitude : les massacrés, réfugiés, fusillés, suppliciés de tous les continents, convergent soudain vers cette rue unique, vers cette personne, vers ce corps, vers ce cœur aux abois, vers cette femme à la fois anonyme et singulière. À la fois vivante, mais blessée à mort.

Depuis l'aube des temps, les violences ne cessent de se chevaucher, la terreur de régner, l'horreur de recouvrir l'horreur. Visages en sang, visages exsangues. Hémorragies d'hommes, de femmes, d'enfants... Qu'importe le lieu ! Partout l'humanité est en cause, et ce sombre cortège n'a pas de fin.

Dans chaque corps torturé tous les corps gémissent. Poussés par des forces aveugles dans le même abîme, les vivants sombrent avant leur terme. Partout.

Comment croire, comment prier, comment espérer en ce monde pervers, en ce monde exterminateur, qui consume ses propres entrailles, qui se déchire et se décime sans répit ?

Dès que la douleur s'estompe, que son attention ressurgit, Marie se sent solide et reprend confiance. Cette tragédie n'a pas eu lieu. Marie et Steph sont vivants avec leur amour d'enfance et d'adolescence, avec leur amour d'adultes à accomplir jusqu'au bout.

Marie a les cheveux courts, la plage est déserte ; ils ont vingt ans, ils courent l'un vers l'autre. Ils s'atteignent, se caressent. Les grains de sable brillent sur leurs peaux.

Steph la dépasse de sa haute taille, elle se blottit entre ses larges épaules. Elle y est bien. Les cheveux de Steph sont noirs, humides, bouclés ; ses joues sont fraîches, ses lèvres charnues. Il lui plaît, elle le lui dit. Elle se noue à son corps et lui au sien. Ils se rapprochent. Ils cherchent un abri, le trouvent. Ils s'étendent sous une cabine dressée sur pilotis. Le sable est plus moelleux qu'un lit. Il lui retire son maillot. Il la trouve belle, pulpeuse. Il ne le lui dit pas. Ils se découvrent. Ils sont deux. Ils sont un.

La mer est immense, éternelle, avec ses vagues recommencées...

La douleur n'est plus supportable, elle se déplace, creuse, brûle, irradie. Le futur n'est plus de saison. Marie est mortelle. Terriblement mortelle. La menace fait partie du destin : cette mort en attente est sans cesse prête à bondir sur sa proie.

Marie se voudrait au bout d'une longue vie, ravaudée par l'âge. Elle se voudrait avec Steph, très loin dans le futur, en leurs corps labourés... Ils avanceraient côte à côte. Marie se réfugie dans cette image d'avenir qui aura su résister aux intempéries des caractères et des événements.

Mais cela n'aura plus jamais lieu ; cette vieillesse souhaitée, ensemble, est rayée, supprimée. Ce temps lointain qui aurait eu raison de leurs apparences, mais serait demeuré fidèle à l'espoir, ne surviendra pas. Ce lien qui aurait persisté pour triompher de l'épaisseur et du tumulte des ans a disparu. À jamais.

Par sursauts Marie se retrouve tantôt à l'arrière, tantôt à l'avant de son existence. Les temps se rejoignent, s'entremêlent, se relient, ou bien éclatent et se dissipent.

Ayant trop présumé de ses forces, Marie cherche, à présent, du secours. Si seulement quelqu'un pouvait passer ! Quelqu'un qui l'apercevrait, compatirait et se chargerait du message pour Steph à sa place. Ou bien un conducteur qui la mènerait en voiture jusqu'au pont. Mais par ici les rues sont depuis longtemps presque entièrement désertées. La population a fui ce quartier violemment bombardé au début des hostilités et depuis lors, semblait-il, tranquille, à l'abandon.

Marie avance, en vacillant, pour prendre appui contre le mur le plus proche. Elle l'atteint enfin. Ses mains tâtonnent, s'accrochent à ses aspérités, elle racle la surface des affiches en lambeaux, reconnaît les pliures sous ses paumes ; des boulettes de papier pénètrent sous ses ongles. Ces sensations la rassurent, sa peau n'a pas cessé de ressentir, ni son esprit de constater.

Marie se bat, se bat encore, contre l'accident, contre elle-même. Marie lutte, secoue la tête.

— Non. Non. Pas encore !

Marie étire son torse vers le haut, redresse sa nuque. Mais ses genoux flageolent, ses jambes fléchissent, l'entraînent par degrés, vers le sol. Elle trébuche, résiste encore à la chute imminente.

Marie cherche à appeler. Sa voix fait des nœuds, s'empêtre au fond de sa gorge, s'amenuise. Un murmure frôle ses lèvres, puis s'éteint. Elle ne crie que de l'intérieur.

Une douleur fulgurante la transperce de part en part. Un flux de sang tiède s'écoule entre ses omoplates.

La jeune femme décide de ne plus s'opposer à son corps, mais de l'escorter, de naviguer avec lui. Évitant les soubresauts, l'inutile résistance, elle décide de l'accompagner, à travers remous et rotation. Elle ne contrariera plus ces secousses, ces soubresauts, ces ballottements de tête, ces saccades de bras, ces tremblements, ces frissonnements. Elle fera corps avec son corps. Elle ne cherchera pas à le brusquer ni à lui imposer ses propres désirs. Elle s'en accommodera.

Marie se ménage, elle économise son souffle de plus en plus chaotique et bruyant. Il faut tenir jusqu'à l'arrivée d'un passant. Cette rue ne peut rester éternellement déserte !

À l'affût d'un passant à qui confier son message, Marie demeure aux aguets. En réponse à la longue lettre de Steph, qu'elle garde précieusement sur elle depuis plus d'une semaine, il faut que ce dernier sache qu'elle allait à sa rencontre. Il suffit qu'elle griffonne sa réponse sur l'envers de l'enveloppe pour qu'il le comprenne. Elle est à présent certaine qu'elle ne parviendra pas jusqu'au pont et que ses forces l'abandonnent.

— Patiente. Ne me lâche pas, murmure-t-elle à son corps en déroute.

Dorénavant elle se laissera manœuvrer par lui, sans toutefois le perdre de vue.

Elle agit comme si elle écrivait un texte, qu'elle laisse venir à elle tout en le maîtrisant. Un texte essentiel, vital, qu'elle redoute de ne pouvoir mener jusqu'à terme. Face à cette mort rapprochée, saura-t-elle tenir, lucidement,

jusqu'au bout ? Pourra-t-elle conclure, boucler la dernière ligne de son existence avec ces mots : « Je t'aime.
Je viens à toi. » Ou du moins : « Je venais. »

Il faut que Steph le sache : ELLE VENAIT.

« Ici, la destruction, la violence, la haine ont pris tous les masques. » Marie connaît par cœur chaque mot de la lettre de Steph. « Les voisins de la veille vous égorgent. Les amis de toujours vous poignardent. Les uns comme les autres n'ont plus ni compassion, ni réflexion, ni amour. L'horreur est partout. Le goût du sang les rend ivres. En qui, à quoi croire désormais ? »

Chaque mot de Steph se répercute. Elle éprouve la même colère, la même indignation. Aux moments graves, ils sont toujours d'accord. Pourquoi se chamaillaient-ils sur des broutilles ?

— Tu dis non à tout ce que je propose, se plaignait-il.

— Tu ne proposes pas, tu imposes.

— Tu as tort, Marie, je te laisse le choix.

— Tu ne t'entends pas !

Cela se terminait parfois par des rires. D'autres fois par des mots de plus en plus acérés. Alors, ils se quittaient, violemment.

À peine séparés, ils ne pensaient qu'à se retrouver. Ils s'aimaient par-delà ces disputes, cette pierraille querelleuse. L'un ou l'autre téléphonait. Ils s'excusaient, se pardonnaient. Ils fixaient la prochaine rencontre. Comment se débrouillaient-ils, les amoureux du temps passé sans ce fil miraculeux qui rompait les distances ?

La lettre de Steph était enfouie dans la sacoche de cuir fixée par une ceinture autour de sa taille ; Marie se demandait par quels mouvements l'atteindre et s'en emparer. Dans la même enveloppe se trouvait une récente photo. Steph était assis au bord d'une falaise, face à la mer. Il portait le pull-over bleu qu'elle lui avait offert, il y avait plusieurs années. Il regardait au loin, il paraissait l'attendre depuis toujours.

La ville meurtrie avait été divisée en deux secteurs difficilement franchissables jusqu'à ces derniers jours. Marie, qui travaillait pour une agence de photos, portait toujours, sauf aujourd'hui, un appareil en bandoulière.

À l'opposé de la ville, et à une centaine de kilomètres, Steph avait dû abandonner ses fouilles ; le centre archéologique et le musée ayant été sérieusement détruits.

« Depuis que je côtoie quotidiennement la mort, tout me semble absurde », continuait la lettre. « Tout me paraît vain, en dehors de l'amour. Nous nous aimons, toi et moi. Nous le savons depuis longtemps, plus rien ne devrait nous séparer. Ni ma recherche, ni tes photos, ni mes pierres, ni tes images. Notre amour est fort, tenace, solide ; le reste est précaire. Quoi qu'il ait pu se passer, ne restons plus éloignés l'un de l'autre. Je nous vois, au bout de tous nos chemins, nous tenant encore par la main… Je t'attendrai dans une semaine, ce sera dimanche, à midi. Je serai assis sur le muret à l'angle du grand pont, comme à notre premier rendez-vous d'adolescents. Tu seras là, à l'heure, je te connais. Je t'apercevrai de loin. Mon cœur battra au rythme du tien. Tout le reste s'effacera. Je te tiendrai dans mes bras, je te garderai pour toujours. »

Chaque mot se gravait dans sa tête. Il fallait à présent tirer la lettre et la photo de sa sacoche pour y inscrire, au revers, cette seule ligne : « Je t'aime, je venais… » Puis, elle confierait cette carte au premier passant ; qui se hâterait de porter le message jusqu'au lieu du rendez-vous.

Quelqu'un viendra, elle s'en persuadait. Cela, au moins, serait accompli.

Marie épouse ses mouvements, accepte de vaciller, de s'effondrer lentement. Elle effectue une torsion, se retourne, se courbe en arrière, en avant, pivote doucement, comme au cinéma durant les séquences au ralenti. Sur l'écran elle aimait ces mouvements circulaires de la caméra, l'allongement du geste, l'étirement des images, l'adagio fantomatique, la prolongation du temps.

— Je me joue la « mort au ralenti », se dit-elle et ne put s'empêcher d'en sourire.

Éprouvant dans sa chair cet éboulement, ces glissements successifs, elle se vit sur une toile esquissant avec grâce la danse de la mort. Le sourire se plaquait encore sur ses lèvres.

« Le central téléphonique a sauté », continuait Steph dans sa lettre, « Toutes les lignes sont interrompues. Plus rien ne fonctionne. Je sais où tu habites, un ami sûr te portera cette lettre. Je m'assurerai qu'elle te soit parvenue. Je porterai ton pull-over bleu, celui de cette photo. "Remember me." Tu m'apercevras dès que tu déboucheras de la grande rue... Je ne viens pas te chercher chez toi, pour te laisser la liberté de ton choix. Tu arriveras, ponctuelle, comme à ton habitude, à midi juste. Mais au bout d'une heure d'attente, si tu ne viens pas, je comprendrai que tout est définitivement rompu. Que tu as pris d'autres décisions, d'autres chemins. Je t'aime. »

Avant de toucher le sol et de s'effondrer, Marie parvint à tirer l'enveloppe et un crayon de la sacoche. Elle griffonna, en lettres tremblantes : « Je venais. Je t'aime. »

L'espoir d'y arriver en personne s'était volatilisé.

Petit à petit Marie se laissait glisser sur le trottoir, l'œil toujours en quête d'un probable passant.

Personne. Il n'y a personne. La rue est vacante, le quartier entièrement déserté.

Avant d'entreprendre sa marche, elle aurait dû se méfier et deviner qu'elle serait une cible facile ; pourtant, depuis un mois tout l'environnement paraissait à l'abandon. Elle aurait dû s'habiller de gris, longer les murs ; ce chemisier jaune, cette jupe fleurie ne pouvaient qu'attirer le regard. Elle les avait choisis pour l'espoir, pour fêter cette réunion, pour célébrer cet amour. « À quoi servent les regrets ! Au moins grâce à ces coloris un piéton me remarquera aussitôt », pensa-t-elle. Marie rampe jusqu'au bas d'un immeuble, ses mains tentent de trouver un point d'appui pour se soulever un peu plus, s'agenouiller peut-être ?

Rien de cela n'est possible.

Ses longs cheveux se défont. Ils recouvrent ses épaules, voilent son visage. Elle les rejette vers l'arrière d'un faible hochement de tête.

Marie ne compte plus que sur son cri. Elle crie :

— Aidez-moi... Par ici...

Elle crie, elle crie. Sans écho. Dans le vide.

Ses cris s'emmêlent, l'enfièvrent, ne parviennent pas à occuper l'espace. Ils montent laborieusement jusqu'à sa bouche, s'amenuisent, finissent par s'éteindre.

Une douleur intense la transperce et la jette à terre.

Elle gît à présent, recroquevillée, joue au sol, « dans la position d'un fœtus », remarque-t-elle.

Marie se cramponne aux dernières lueurs de sa conscience, l'œil aux aguets.

Marie s'alarme du temps qui passe, de la brusque disparition du soleil derrière un nuage. Puis, l'astre reparaît. Elle en éprouve, malgré cette chaleur accablante, une sorte de soulagement.

Non loin, une fenêtre grince. Marie, qui ne peut ni bouger ni se retourner, se pelotonne, autour de ce qui lui reste de vie, cette vie prise aux filets de sa conscience et qui se débat, cherchant à lui échapper.

Une porte s'ouvrira peut-être ? Quelqu'un l'apercevra peut-être ? Quelqu'un lira la lettre, l'emportera avec la photo, atteindra le pont, et Steph saura qu'elle est avec lui, auprès de lui, à jamais, que seul un accident a interrompu sa course.

Marie s'éloigne du passé et des souvenirs. Elle ne veut être que ce présent et que cette parcelle d'avenir qu'elle cherche encore à sauver.

Sa fin, elle la sent proche, elle lui fait face, tandis que « vivre » s'offrait encore.

« Vivre », elle a toujours aimé ce mot, elle l'aime toujours en cette seconde comme un élan, une fontaine surgie des ombres.

Cette ville de son enfance qu'elle avait longuement quittée, elle la parcourait depuis son retour en tous sens, s'émerveillait de ses beautés, s'indignait de ses misères. Son amour pour Steph, tourmenté et radieux, l'accompagnait partout. Cet amour stabilisait, centrait son existence ; tandis que d'autres passions, éphémères, s'étaient dissipées au cours des saisons.

Mais en ce jour l'Histoire avait eu raison de son histoire, Marie faisait soudain partie de ces vies sacrifiées, rompues, écrasées par la chevauchée des guerres. Les violences issues de croyances perverties, d'idéologies défigurées, de cet instinct de mort et de prédation qui marquent toutes formes de vie, avaient eu raison de sa petite existence.

Un homme, une femme poussent une porte cochère, hésitent avant de s'aventurer dans la rue. Marie ne peut les apercevoir.

L'homme se tient droit malgré son âge, sous sa casquette des cheveux blancs bouclés recouvrent ses tempes. Il remet ses lunettes, scrute les toits souvent occupés par des francs-tireurs.

— Je ne vois rien. Allons-y.

Elle lui arrive à l'épaule, sa chevelure est moins blanche, plus copieuse ; sa démarche moins ferme.

Chacun porte une valise. Ils se tiennent par la main.

— Tu crois qu'on a raison de partir ? demande-t-elle.

— La zone est toujours dangereuse, tout à l'heure tu as bien entendu les coups de feu... Nous serons les derniers à partir.

Il se redresse, se surveille, ne se laisse aller ni à l'inquiétude ni à la panique.

Elle est plus hésitante. Son corps s'est épaissi. Les années ont eu raison de son apparence. Il lui reste l'épaisseur des cheveux, la curiosité du regard, le geste juvénile. Elle lâche la main de son compagnon, se retourne pour jeter un dernier coup d'œil à leur appartement abandonné. La vue de ce lieu où ils vivent depuis dix ans, et de ce quartier détruit, la remplit de tristesse.

— Allons, dit-il, on repart ! Tu sais bien qu'on repart toujours, toi et moi.

Elle sourit, il trouve toujours les paroles qui remettent en chemin.

— Embrasse-moi, dit-elle, lui tendant la joue.

Il la serre contre lui, pose un long baiser sur sa joue. Un frisson la parcourt, elle se sent toujours adolescente. Que d'événements traversés avant cette fin de vie ! Ils s'étaient même quittés durant plusieurs années.

Couchée sur le côté, Marie vient d'apercevoir le vieux couple. Son cœur bat furieusement. Elle garde son cri en réserve, elle ne veut pas le gaspiller ; elle attend qu'ils se rapprochent.

Elle est attentive à chacun de leurs pas, elle s'amasse, se concentre autour de ce cri. Il faut qu'il soit audible, qu'il signale sa présence, qu'il les atteigne.

Son corps a renoncé à la lutte. Il se tasse, s'enroule sur lui-même, comme dans une coquille. Il ne laisse place qu'aux derniers sursauts de sa conscience, qu'aux dernières explorations de son regard.

Le couple avance, prudemment, l'œil aux aguets.

— Oui, tout à l'heure, j'ai entendu des coups de feu, se rappelle-t-elle.

— Pourtant c'est étrange, plus personne n'habite par ici.

— Sauf nous…

— Ils ont tout saccagé. Plus de téléphone, plus d'électricité, plus un seul commerçant.

— Plus rien. Pas une âme. C'est le moment de partir. Es-tu sûr qu'on trouvera des véhicules de l'autre côté du pont ?

— Tout à fait sûr…

— Où nous mèneront-ils ?

— On verra bien. Ce sera provisoire. Nous nous envolerons ensuite vers un pays lointain.

— C'est terrible d'être chassé de chez soi.

Il lui entoure les épaules de son bras.

— Ne crains rien.

— Tant que nous serons ensemble…

Il reprend sa main. Ils continuent d'avancer.

« Octogénaires », disaient-ils sans parvenir à y croire.
« C'est une plaisanterie... C'est une farce !... » Leurs
jambes les portaient toujours, leurs esprits avaient toujours soif d'apprendre, de connaître. Leurs dos se redres-
saient d'un coup de reins. La chevelure d'Anya avait
échappé au temps ; elle aimait y passer les doigts. « C'est
une vraie crinière », disait-il.

Anton avait été champion de natation, il exerçait ses
muscles quotidiennement, malgré sa vie de médecin qui
accaparait beaucoup de son temps. Leurs enfants, leurs
petits-enfants vivaient au loin ; depuis ces conflits ils s'en
félicitaient. Dans ce pays tout s'était dégradé, l'entente
était précaire, la moindre étincelle faisait tout repartir.
Se venger devenait un devoir. Le cérémonial légendaire
des meurtres ressurgissait.

— Je hais la guerre, murmura-t-elle.

Anton ne l'écoutait plus. Il hésitait entre la décision
de poursuivre leur marche le long de cette rue à découvert, ou bien de rejoindre le pont par le circuit de ruelles
étroites. Partout, dans tous les recoins, se cachaient des
snipers, ceux-ci se déplaçaient parfois en meute, parfois
en solitaire et s'amusaient à cibler un passant pour le
plaisir d'allonger leur tableau de chasse.

Tout était à l'abandon. Les immeubles ressemblaient
à des squelettes avec des morceaux de murs déchi-
quetés, suspendus, en étalage. Portes béantes, vitres
éclatées, monceaux de détritus, de journaux, de sacs
en plastique, de linge, de nourriture, s'entassaient au bas
des murs.

Anton et Anya avaient passé des nuits entières réfugiés dans les caves. Peu à peu tous les habitants avaient déserté, enfin le calme était revenu. Ils s'étaient accrochés à leur quartier le plus longtemps possible.

— On va tout droit ou on bifurque par les petites rues ? Qu'est-ce que tu en penses ? demanda-t-il.

Il décidait parfois sans lui demander son avis.

Anya répondait souvent :

— Je pense comme toi.

— Alors restons sur la grande rue.

— Quand ils auront fini de se battre, penses-tu que nous reviendrons...

Elle prononça ces mots, en hésitant, comme si elle n'espérait même plus le retour.

— Nous habiterons ailleurs, le monde est vaste, dit-il.

— Ici ou ailleurs... Tout ça, pour nous, n'a plus beaucoup d'importance, n'est-ce pas ?

Elle avait vu trop de morts, trop de sang, trop de souffrances ; entendu trop de bombes, trop de rafales. Elle s'étonnait qu'ils puissent encore être là, avançant d'un même pas ; encore vivants, encore réunis. Au cœur de cette destruction elle eut soudain un sentiment de paix :

— Je t'aime, murmura-t-elle.

D'un pas plus rapide, ils dépassèrent – sans l'apercevoir – ce corps qui gisait sur le trottoir d'en face.

Marie les vit, les entendit s'éloigner.

Allant le chercher au tréfonds d'elle-même, dans un effort gigantesque, elle poussa son cri. Un hurlement sauvage, désespéré.

— Tu as entendu, dit Anya, saisissant le bras d'Anton. Quelqu'un a crié, quelqu'un appelle... Écoute.

Le cri se renouvela, déchirant l'espace.

— J'entends, dit-il.

Ils lâchèrent leurs valises, qui tombèrent sur l'asphalte avec un bruit mat. Se retournant, ils aperçurent plus bas – là où la rue amorçait une légère courbe – une masse de tissu jaune et fleurie, sur le trottoir opposé au leur.

— Ça vient de là-bas, dit-elle, pointant son index vers le monceau d'étoffes.

Elle s'y précipita. Anton la suivit, puis la devança. La courte distance fut rapidement franchie.

Anton s'agenouille, examine la jeune femme, se relève et repart en toute hâte pour rapporter sa trousse de médecin. La blessure est grave, fatale.

Marie se laissait manipuler – « Je ne suis qu'une poupée de son... pas de soie, de son », se répète-t-elle comme une rengaine. L'air de la chanson tourbillonne dans sa tête ; la berce lentement. Elle s'abandonne avec confiance.

Anton est revenu avec sa trousse, il examine la jeune femme avec application, sollicitude. Un sentiment d'impuissance l'étreint. Il échange un long regard avec Anya.

Celle-ci se relève, frappe aux portes, aux fenêtres des rez-de-chaussée. Elle va, elle vient, inutilement, appelle au secours, dans le vide.

— Tu sais bien qu'il n'y a plus personne. Cours plutôt vers le pont pour demander une ambulance. Je reste auprès d'elle.

Dans un effort surhumain, Marie tente de se faire comprendre... Ce qui importe, à présent, ce n'est plus sa vie, elle la sait en perdition. Ce qui importe, c'est d'arriver au pont avant que Steph ne se décourage, c'est de lui remettre la photo, avec ses mots à elle inscrits au revers : « Je venais, je t'aime. »

— Prenez, lisez... parvient-elle à balbutier, leur tendant la lettre d'une main tremblante.

Anya chausse les lunettes suspendues à son cou :

— Lisez, supplie la voix. Elle ajouta dans un souffle : « Je m'appelle Marie. »

Anya lit, à haute voix. Elle lit et comprend l'urgence, la gravité du message. Anton ôte sa veste, l'enroule en forme de coussin pour soutenir la nuque de la jeune femme.

— J'y cours, dit Anya. J'ai compris. J'ai tout compris.

— La photo, c'est lui, murmure Marie.

— Je le sais. Je le reconnaîtrai. Je te le ramènerai. C'est juré, dit Anya, qui s'empare de la photo tachée de sang d'où émerge le buste d'un beau jeune homme, vêtu d'un chandail bleu éclatant. Anya revoit Anton tel qu'il était jadis. L'image colorée se grave dans sa tête, dans son cœur. Anya le reconnaîtra de loin, elle le reconnaîtra entre mille!

— J'y cours!

— Toute seule? s'en effraie Anton.

— Tu ne peux pas la laisser, tu le sais bien.

— Tu as raison, je reste. Vas-y, mon amour… Essaie aussi de trouver une ambulance.

Il l'appelle souvent «mon amour», cela lui donne des ailes :

— J'y vais!

C'est vers sa jeunesse qu'elle court, vers la jeunesse de Marie, vers leurs jeunesses confondues, entremêlées.

Anya est partie, coudes au corps. Messagère d'un amour qui lui rappelle le sien, elle trotte de toutes ses jambes. La route est grise, grise. Elle s'accroche à l'image en bleu de ce jeune inconnu. Elle hâte le pas, elle bondit, elle se presse.

Les mots de la lettre l'accompagnent : «Je serai sur place à midi. Je t'attendrai toute une heure. Si tu ne viens pas, je comprendrai que tout est définitivement rompu…». Elle répète ces paroles par cœur. «Définitivement», lui colle à la langue, elle recrache ce mot. Définitivement ne veut rien dire, quand l'amour s'implante ça ne s'arrache pas d'un coup de colère. C'est tenace. Ça s'obstine.

Elle arrivera à temps. Il le faut. Elle s'arrête une seconde, consulte sa montre : une heure moins le quart. Quinze minutes, il ne lui reste que quinze minutes!

Elle court Anya, elle court, au milieu de cette chaussée, vide, exposée aux mauvais coups. Ce n'est pas le moment d'y penser. Elle voudrait se débarrasser de toutes ces années qui freinent son pas, et retrouver son corps d'adolescente. Elle s'essouffle, elle peine, mais elle ne sent plus la rigidité de ses genoux :

J'y arriverai. J'arrive.

Elle accélère. Elle remettra la lettre à Steph. Elle le reconnaîtra de loin. Elle criera vers lui, ou agitera ses bras, en brandissant la photo.

Le chemin s'étire, s'allonge... Elle le poursuit, avec opiniâtreté. Elle n'a plus qu'un seul but : remettre la lettre à Steph.

Anton l'a d'abord suivie des yeux, comme pour la protéger. Puis, elle a disparu.

Il continue de l'imaginer preste, expéditive, fougueuse, comme jadis. Leurs voix remontent des broussailles du passé :

— Attends, réfléchis, tu te précipites toujours. Tu conclus trop vite.

— Laisse-moi suivre mon instinct.

Il regarde sa montre, il reste un quart d'heure avant que Steph n'abandonne. Anton se demande si Anya arrivera à temps.

Penché au-dessus de Marie, il la retourne sur le côté avec des précautions infinies. Ôtant sa chemise, il la déchire pour tamponner la plaie, pour arrêter ce sang qui ne cesse de se répandre.

La blessure est profonde, la balle s'est sans doute logée non loin du cœur.

Le torse nu livré au soleil, Anton se penche au-dessus de la jeune femme et lui parle lentement. Il lui dit qu'il la sauvera. Il ment. Sachant ce qu'il sait, il souhaite tout simplement qu'elle résiste jusqu'à l'arrivée de son ami. Il y croit à cette rencontre. Il en mesure toute l'importance.

Marie se laisse bercer par ces paroles. Ses gémissements se calment, son visage est presque apaisé.

Anton imagine Anya à cette même place. Anya, souvent perdue, souvent retrouvée. Ni l'un ni l'autre n'ont regretté d'avoir accompli ce long chemin ; ni d'avoir parcouru cette course d'obstacles de l'existence, tantôt ensemble, tantôt seuls. La durée est une conquête, il le sait.

Mais s'étaient-ils vraiment quittés ? Ils n'avaient jamais cessé, l'un et l'autre, de se faire signe, de se revoir, tout en s'accordant une tacite liberté. Le temps de leur séparation s'était traversé en s'efforçant de préserver l'avenir, de ne jamais élever entre eux d'infranchissables barrières.

Ils se voulaient lucides, indépendants ; mais l'angoisse les étreignait dès qu'ils croyaient vraiment se perdre. Un sentiment étrange et puissant les soudait.

L'âge avait labouré leurs corps, défiguré leurs faces, embrumé leurs regards ; mais ils se reconnaissaient sous toutes les flétrissures du temps. Toujours surpris et se surprenant, entremêlant à travers tant d'années l'infinie variété de leurs tempéraments et de leurs visages.

Anton essuya les gouttes de sueur sur le front de Marie et chercha à la protéger du soleil. Il se sentait étrangement solidaire de ce jeune couple inconnu.

La plaie s'était asséchée. Avec son large mouchoir, bordé d'ocre, Anton continua de tamponner les tempes puis le cou de Marie.

Il se baissa, murmura :

— Anya, ma femme, ramènera Steph. Je la connais. Elle est têtue, une vraie petite mule.

Elle sourit. Sa blessure la faisait moins souffrir. La présence du vieil homme, le départ précipité de la femme ravivaient l'espoir. Elle s'efforça de penser à l'avenir. Elle se vit le corps ployé en avant, munie d'ailes musclées qui repoussent les ténèbres du présent. Elle est dans les bras de Steph. Elle chasse les cauchemars, elle exclut les guerres. Elle ne vit que d'amour. Levant les yeux vers le vieil homme toujours penché au-dessus d'elle, elle se souvient de sa femme, et de son visage à lui, d'abord terrifié, puis résolu et confiant.

Depuis leur arrivée tout a changé. Leur présence a tout transformé. Ils seront, elle le sait, auprès d'elle, jusqu'au bout...

Pourquoi a-t-elle pensé « jusqu'au bout » ? En cet instant elle ne se résigne pas ; elle ne veut pas mourir, elle ne mourra pas.

— Je te reverrai Steph. Je survivrai. Nous ne nous quitterons plus.

Anton est auprès d'elle, prévenant, attentif, détournant souvent le regard pour interroger cette rue encore vide.

Marie tâtonne, cherche la main du vieil homme, tente de la saisir pour, à son tour, le réconforter.

— Elle…

— Elle reviendra, dit-il. Ils reviendront tous les deux.

Dans un mouvement de tête elle fait « oui ». Elle va de mieux en mieux.

Anton braque toujours son regard en direction de cette rue offerte aux dangers. Il transpire ; les rayons d'un soleil féroce ricochent sur sa peau. Il voudrait protéger Marie, la mettre sous un porche, mais il ne peut pas prendre le risque de la déplacer. Il passe de l'inquiétude à la confiance, de la crainte à l'espoir. Cette attente l'épuise. Il rassemble tout son courage, toute sa vigueur ; il respire à pleins poumons. Pour la jeune femme, pour lui, pour Anya qui court : il fait appel à ses forces, à sa vitalité.

Marie soulève les paupières avec peine, elle ne s'exprime plus qu'à travers son regard. Anton serre sa main dans la sienne, la frotte pour la réchauffer, souffle dans la paume :

— Tout ira bien. Je le sais.

Il parle pour elle. Il parle pour lui. Il parvient à se rassurer, à la rassurer.

Après l'avoir détruit, les belligérants ont quitté ce quartier en ruine, laissant derrière eux quelques obsédés de la gâchette.

Fusillades, pillages, atrocités étaient l'apanage de tous. Les groupes se divisaient, se subdivisaient. Qui fallait-il soutenir et qui haïr?

Dans chaque camp on arrachait des yeux, on coupait des mains, on violait, on tailladait des seins, on tranchait des têtes, on achevait d'une balle dans la nuque. Un jeune mongolien, que les voisins chérissaient, fut retrouvé devant la boutique de primeurs de son père, empalé, une énorme pomme dans la bouche. On avait forcé un violoniste à jouer, jour et nuit, sans dormir. On le cravachait dès que la musique s'arrêtait. Un poète, qui avait refusé de se battre, fut emmené jusqu'au fleuve et noyé sous les applaudissements.

— Tu peux encore croire en Dieu? demandait Anya, révoltée.

— Et toi? Tu peux encore croire en l'humain?

— L'humain est multiple.

— Dieu aussi.

Jadis... c'était loin, si loin; mais Anya s'en souvenait comme d'une image à moitié effacée, pourtant vivace. Elle se voyait à genoux dans la grande chapelle du pensionnat à la veille de la cérémonie de la confirmation. Elle y était seule. Sous la coupole arrondie, accueillante, tout était blanc et calme; mais la pâleur des statues l'avait frappée. Trop de suavité, trop de bouquets apprêtés, trop de fadeur dans cette chapelle toute neuve. Elle s'y sentit

43

mal à l'aise. La vision de cette ville aux ruelles souvent étroites, aux maisons imbriquées les unes dans les autres, aux visages souffreteux et gris qu'elle avait côtoyés durant ses promenades, se pressaient autour d'elle. Elle ne comprenait pas qu'une partie de ce peuple en haillons n'eût rien à faire en ce lieu. Comment Dieu pouvait-il choisir ceux-ci plutôt que ceux-là ? Ce Dieu des uns et pas des autres, comment l'admettre, comment le vivre ?

— Dieu, c'est la bonté, la puissance, l'universel... s'il existe, disait-elle à Anton.

— Dieu est à la fois le mal et le bien. Sinon rien ne s'explique, répliquait Anton.

— Satan est l'image renversée de Dieu ? C'est ça que tu veux dire.

— C'est un peu ça...

Anton discutait, démontrait, s'accrochait à sa foi ; mais depuis le début des hostilités, Anya était à vif, refusant religions et croyances ; rejetant ces vérités exclusives qui conduisent au carnage.

Elle se demandait comment et pourquoi ces peuples d'une minuscule et même planète, ces humains d'une dérisoire longévité, irrémédiablement voués à la même mort, pouvaient répéter, multiplier, ces jeux macabres et s'en glorifier ? De l'Occident à l'Orient, plus loin encore, partout, se déchaînent fureurs, intolérances, haines, à l'image de certains drames familiaux qui ne trouvent jamais d'épilogue.

L'homme était insaisissable, l'existence, une énigme. Parfois un geste, un paysage, une rencontre, une parole, une musique, une lecture ; surtout l'amour, rachetaient ces ombres. Il fallait savoir, s'en souvenir, parier sur ces clartés-là, les attiser sans relâche.

Anya court et s'étonne de l'énergie, de l'élan retrouvés.

Elle porte des sandales à semelles de corde, une robe au tissu léger imprimée de fougères, l'air s'y engouffre. Son soutien gorge la serre un peu trop, elle éprouve de moins en moins la raideur de ses genoux, se félicite de n'avoir pas mis de bas. Son but, le seul, c'est de retrouver le jeune homme au chandail bleu et de le ramener vers Marie.

Elle imagine le bonheur d'Anton en les voyant arriver. En lui caressant les cheveux, il dirait :

— Tu as réussi. Comme tu as fait vite et bien.

Anya dévore l'espace, dévore le temps. Ses rides se dissipent, ses mains se lissent, ses cheveux ne sont plus gris mais châtains. Son cœur s'électrise, s'enflamme. A-t-il jamais cessé de brûler ?

Ses yeux voient clair. Ses yeux voient loin.

Anya vient d'apercevoir le pont.

Là-bas, tel un oiseau de nuit, qui ne s'assoupit que d'un œil, les griffes enfoncées dans l'écorce d'un arbre protecteur, Marie s'agrippe à la vie.

Marie se dédouble et parvient, par instants, à quitter ce corps agonisant, pour le surplomber, le contempler avec détachement, avec compassion, et lui enjoindre de résister.

Elle s'en veut de n'avoir pas fait signe la première à Steph, de n'avoir pas écourté leur séparation. Le travail l'avait happée, le désir de mener à terme cet album de photos, ce réquisitoire contre l'éternel cérémonial des guerriers.

Puis, elle en avait été la victime. Ce n'était pas prévu.

Quand Marie ferme les yeux, sa vie se déroule comme une suite de photos qui s'éloignent, s'affadissent, s'ensablent, puis resurgissent, limpides et claires, pour s'effacer de nouveau.

Elle se revoit petite fille : Marie danse, écrit, chante, souhaite grandir vite, très vite, pour tracer son propre sillon.

Tolérants, fantaisistes, ses parents ne s'opposent pratiquement à rien, il lui arrive de chercher un mur contre lequel se dresser.

— Tu m'as tout laissé faire, disait-elle à sa mère.
— C'est un reproche ?

C'en était presque un.

Pourtant la liberté obtenue par ces générations-là avait été conquise de haute lutte, elle le savait. Elle demeurait consciente de ces régressions en d'autres lieux de la planète, de ces femmes écartées, momifiées, infantilisées, encagées en d'obscurs vêtements. Il fallait rester vigilante, en alerte.

Les relations amoureuses lui paraissaient par moments trop accommodantes, trop faciles, privées de vraie passion. À la recherche du seul plaisir, l'amour n'enflammait plus. La durée ne s'accommodait plus de l'air du temps.

Steph et Marie souriaient de leur amour, entre dévastation et ravissement, se méfiaient de cette fusion – appelée ou refusée – qui leur servait pourtant d'ancrage.

— Personne n'a pu me faire souffrir autant que toi...
— Est-ce une preuve?
— Personne ne m'a donné autant de bonheur!

Comment concilier la poursuite d'une vocation et la force d'un amour? Steph avait tout quitté pour revenir au pays de l'enfance et mener à bien ses fouilles. Marie parcourait la planète et ses régions troublées, sachant Steph dans les parages elle était revenue vers ces mêmes terres elle aussi.

Il fallait tant de compréhension, de fraternité, de respect pour poursuivre ce double chemin. En étaient-ils capables?

Le visage du vieil homme se penche avec sollicitude au-dessus de Marie. Rien n'a affadi l'animation de son regard, ni la force de sa présence et de son attention.

Marie rêve des larges épaules de Steph, de ses bras où se réfugier.

Anton décèle le moindre changement sur son visage, il demande:
— Ça va mieux?
Elle sourit.
— Vous verrez, tout ira... insiste-t-il.
Il sait qu'elle n'en a plus pour longtemps, mais il se laisse pourtant berner, par moments, par un espoir insensé.

Elle tente de répondre : « Ça ira… », mais aucun son ne parvient à ses lèvres, elle se contente d'abaisser plusieurs fois ses paupières.

Anton caresse le front de la jeune femme :

— Tout ira… tout ira !

Autour du pont l'agitation est à son comble.

Anya se dresse sur la pointe des pieds pour tenter d'apercevoir le jeune homme au chandail bleu.

Soudain, elle le voit, il est là, un peu plus loin, assis sur le muret comme il l'avait écrit.

Elle voudrait l'appeler, mais son cri se perdrait dans le tohu-bohu de cette foule. Elle approche, se fraye un chemin avec les coudes. Personne ne lui cède passage. Elle avance comme dans les cauchemars, les membres ligotés. Elle lance son cri :

— Vous, là-bas, assis près du pont... Steph !

Sa voix se noie dans le vacarme.

Des gens de tous âges fuient la ville et se pressent en direction du pont. On aperçoit, de l'autre côté, des camions en attente qui emmèneront les réfugiés vers des campements installés en toute hâte. Parfois une automobile, ou un taxi, pleins à craquer, traversent le pont en klaxonnant.

Anya regarde sa montre. Il est bien plus d'une heure. Le temps du rendez-vous est largement dépassé.

La plante de ses pieds la brûle. Anya cherche son souffle au fond de sa poitrine, elle a du mal à le saisir. Engluée dans cette masse mouvante, elle est comme vissée sur place. Chaque seconde perdue la désespère.

Elle supplie qu'on lui cède le passage. La foule forme un troupeau, des centaines de corps, avec une seule tête, une seule volonté : celle de fuir.

Elle pousse, elle cogne, elle injurie. Ça ne lui ressemble pas. Personne ne la reconnaîtrait, même pas elle-même ! Elle bataille, elle s'enrage, elle combat avec énergie.

— Laissez-moi passer. Je dois passer. C'est urgent.
On la freine, on la retient :
— C'est urgent pour chacun.
— Quelqu'un se meurt.
— Des centaines sont morts.

Elle griffe, elle repousse, elle fonce. Ses cheveux sont hirsutes, dénoués. Elle a une tête de méduse, de sorcière. Elle avance en cognant.

Elle s'extrait enfin de la foule et accède à l'entrée du pont. Elle n'est plus qu'à quelques pas du parapet où elle a entrevu, il y a quelques minutes, le jeune homme au chandail bleu.

Le soleil pèse sur les épaules d'Anton. Il se tourne souvent avec inquiétude vers la rue, espérant apercevoir sa femme. Mais cette rue est désespérément vide. A-t-il bien fait de la laisser partir seule?

Dès qu'il se penche au-dessus de la jeune femme, Anton s'efforce de lui offrir un visage tranquille.

Il cherche à se souvenir d'une berceuse, ou d'un poème. Seuls un chant ou un poème auraient un sens au cœur de ces instants si ténus, si essentiels entre mort ou vie.

Anton scrute sa mémoire, cherche une mélodie ou quelques vers éparpillés. L'angoisse d'avoir perdu Anya l'étreint si fort que la musique et les mots fuient.

Il se met alors à chantonner n'importe quoi.

Marie, les yeux mi-clos, aspire chaque sonorité, capte chaque syllabe.

Anton le ressent. Il chante de mieux en mieux.

Des paroles claires qu'il module à sa façon : des consonnes, des voyelles, des syllabes, de plus en plus scandées et libres.

Anton se laisse aller à son propre rythme. Son corps se balance, son esprit suit.

Une même cadence s'empare de la jeune femme, traverse, par vagues, son immobilité.

La foule était de plus en plus agitée, de plus en plus dense. Anya n'aperçoit plus le jeune homme assis il y a quelques minutes sur le muret. Il a rejoint la foule. Son corps s'est enfoncé dans la masse des autres corps, sa tête surgit d'entre toutes les têtes par sursauts.

Anya tire de sa poche la photo, elle la brandit à bout de bras, au-dessus de la masse humaine, elle l'agite en tous sens, elle crie :

— Steph! Steph!

La foule crie plus fort; parmi toutes ces clameurs Steph ne peut entendre l'appel d'Anya. Il pénètre dans la mêlée. Son corps se perd parmi d'autres corps. Sa tête surgit par saccades, puis disparaît.

Anya continue d'exhiber la photo, s'agrippe aux uns et aux autres, les harcèle de questions :

— Le jeune homme en chandail bleu, où était-il? Tout à l'heure il était là, assis sur le muret. Vous l'avez vu? Où est-il à présent?

Elle s'en veut de n'avoir pas couru assez vite. On la repousse brutalement, la photo a failli lui glisser des mains, elle la remet au fond de sa poche. Elle crie :

— Le jeune homme au chandail bleu. J'ai un message pour lui!

Elle veut qu'il l'entende.

Anya n'est plus elle-même, elle n'est plus que colère, que désespoir. Plus qu'un cri… Rien qu'un cri qui s'efforce d'atteindre Steph. Un cri qui tente de surmonter les clameurs de cette foule chaotique.

Un autocar vient de s'engager sur le pont; apeurée, la foule recule pour le laisser passer. C'est la bousculade.

Le véhicule avance à bonne vitesse. Anya vient d'apercevoir Steph.

— Arrêtez, arrêtez Steph! Marie...

Le vacarme est intense. Steph n'entend rien. Anya
continue de l'apercevoir tandis qu'il s'éloigne, tandis
qu'il s'agrippe à un bras tendu vers lui hors de l'énorme
machine. Ce bras le hisse sur le marchepied. Puis Steph
disparaît à l'intérieur du car.

Anya agite ses bras, s'égosille. Les vrombissements du
moteur, les coups de klaxon enterrent sa voix.

Bousculée par la foule, elle s'immobilise, la bouche
ouverte, comme figée dans du plâtre.

Enveloppé de nuages de poussière, rebondissant sur
ses pneus géants, l'énorme véhicule emportant Steph,
poursuit sa route jusqu'à l'autre bout du pont.

« Personne, se dit le vieil homme, de plus en plus inquiet, je ne vois personne au bout de cette rue. Pourvu qu'il ne lui soit rien arrivé. »

La rue dévale en pente légère jusqu'à l'endroit où il se tient, il pourrait apercevoir Anya de très loin. Toute cette cité est bâtie sur de petites collines qu'ils descendaient jadis, tous les deux, à bicyclette, ou qu'ils remontaient en peinant.

Anton ne chante plus. Ni le rythme ni les mots ne parviennent à enrayer son angoisse. Il jette un coup d'œil sur sa montre, cela fait plus d'une heure que sa femme est partie.

Soudain, il entend des pas derrière lui. Des pas lents, des pas lourds. Anton se retourne et aperçoit un étrange jeune homme qui s'avance.

Ce dernier porte un képi au rebord tourné vers la nuque, de hautes bottines de cuir malgré la chaleur, un pantalon en treillis, un ceinturon de cuir. Sa chemise n'a rien de militaire : elle est large, blanche, flottante.

Il tient négligemment une mitraillette sous le bras :

— Qu'est-ce qui se passe ici ? demande-t-il avec autorité.

Exténuée, anéantie, la vieille recule jusqu'au parapet et s'y adosse. Elle laisse passer quelques minutes avant de relire la lettre.

À chaque mot un lambeau de sa propre jeunesse lui est arraché. Bouleversée à l'idée que celui qui était éloigné à la suite d'une erreur, d'un malentendu, aurait pu être son propre compagnon, elle n'a plus qu'une idée : rejoindre Anton, au plus tôt, avant qu'un autre malheur n'arrive.

Elle reprend son chemin à rebours.

Dans sa tête tout est confus. Que faudra-t-il dire à la jeune femme ? Comment annoncer ce malheur ?

Pour courir jusqu'au pont Anya avait eu des ailes. Au retour, son corps se plombe, ses jambes sont molles, cotonneuses, elles fléchissent à chaque pas. À l'idée qu'Anton avait pu, durant sa courte absence, être blessé, tué peut-être, et qu'elle retrouverait son cadavre, étendu auprès de celui de la jeune femme, l'épouvante.

Elle se force à avancer plus vite.

Une douleur lancinante la traverse, puis s'agrippe à sa poitrine. Son cœur s'accélère.

Elle se fait violence pour hâter le pas.

— Qu'est-ce qui se passe ici? redemande le jeune homme à la mitraillette.

Anton le scrute du regard. À qui a-t-il affaire? Sans doute à un franc-tireur. Un certain embonpoint rembourre les traits aigus de son visage, lui donnant un aspect débonnaire, malgré sa voix cassante. Son regard sombre exprime le défi, sa bouche esquisse une moue enfantine, presque tendre.

Pour la troisième fois il pose sa question :

— Qu'est-ce qui se passe ici?

Anton hésite, faut-il l'affronter ou l'apprivoiser. Ne se trouve-t-il pas face au franc-tireur dont la balle avait atteint la jeune femme? En ces temps agités il fallait se méfier de tous. On était amis, puis subitement ennemis. Les haines se greffaient à toutes les branches. Le pays était devenu un véritable coupe-gorge.

— Réponds-moi, reprit le jeune homme s'impatientant.

Les paroles d'Anton traversèrent ses lèvres plus vite que sa pensée; il s'entendit dire :

— Un inconnu a tiré sur elle. Aujourd'hui on ne sait plus reconnaître l'ami de l'ennemi.

Le jeune homme plia un genou, posa son arme sur le sol, fixa le visage de craie de la mourante. Puis, se retournant vers le vieil homme :

— C'est trop bête, c'est pas de chance. Est-ce que c'est grave?

De peur que Marie ne l'entendît, Anton entraîna l'autre un peu plus loin.

— Pas trop grave. J'attends l'ambulance que ma femme est partie chercher.

— Vous êtes son père… Plutôt son grand-père?

— Non… je passais par là.

Puis il osa :

— Vous passiez par là?

— Mais vous? Qui êtes-vous? osa Anton.

Sa question à peine posée, il vit passer dans le regard de l'autre un éclair de cruauté, qui s'effaça aussitôt :

— Moi, je protège le quartier.

— Contre qui?

Il hésita quelques secondes, puis sur un ton assuré :

— Contre l'ennemi.

— Quel ennemi?

— Je sais le reconnaître.

— Le quartier est en ruine. Plus personne n'habite ici. Nous étions les derniers.

— Je suis toujours à mon poste. Je veille.

— Tout seul?

— Tout seul!

Une fois de plus, Anton se demande si le meurtrier n'était pas ce jeune homme au visage poupin, à l'œil suave, à la chevelure brune et bouclée, dont les frisures débordaient sous la casquette et recouvraient ses tempes.

Comment le vieil homme aurait-il réagi à cette seconde, s'il avait été en possession d'une arme? Aurait-il tiré sur l'assassin présumé qui risquait d'une seconde à l'autre de les cribler de balles? Et s'il se trompait? Si son rôle de veilleur, de gardien de quartier, était véridique?

Le jeune homme se releva, secoua plusieurs fois la tête, et d'un air désolé :

— C'est trop bête, trop bête. Je vais chercher une ambulance de mon côté. Il faut faire vite, elle me paraît mal en point.

Il venait de partir en abandonnant son arme sur le trottoir. Après avoir franchi quelques pas, il s'en souvint et revint pour s'en emparer :

— On ne sait jamais, dit-il, jetant un coup d'œil soupçonneux à Anton. On aura tout vu par ici!

Les jambes écartées, l'arme à l'épaule, la chemise blanche gonflée par la brise, Gorgio paraissait immense, mythique, avec son visage d'ange joufflu :

— Je ramènerai l'ambulance, c'est promis !

À bout de souffle Anya venait de déboucher sur la grande rue.

De loin elle aperçut Anton de dos, faisant face à un homme portant une mitraillette.

Maîtrisant sa peur elle se hâta, le cœur battant, vers le lieu de l'accident.

Le jeune homme s'était éloigné au pas de course. Quand Anya arriva, elle se jeta dans les bras d'Anton. Elle palpa ses épaules, sa poitrine, ses mains, s'assurant que rien ne lui était arrivé durant son absence. Elle frotta sa joue contre la sienne, se blottit contre lui :

— J'ai eu si peur. Si peur. Tu vas bien ?

— Moi, je vais bien, tu t'inquiètes toujours... Mais tu reviens seule, pourquoi ? murmura-t-il, la prenant à l'écart.

À voix basse elle raconta la foule, l'autocar, le jeune homme grimpé sur le marchepied puis disparaissant à l'intérieur du véhicule.

— Tu n'as pas pu l'atteindre. Tu ne lui as rien dit ?

— Rien.

Elle raconte, elle parle, Anton essuie les larmes sur ses joues.

— J'ai crié. Il n'a rien entendu. J'ai brandi la photo, j'ai hurlé « le chandail bleu ». J'ai appelé « Steph ! Steph ! ». J'étais noyée dans la foule, le vacarme. Il s'est sûrement découragé, il croyait avoir attendu en vain ; l'heure était passée.

Ils s'accroupirent tous deux autour de la jeune femme. Celle-ci respirait à peine. Il n'y avait aucune chance de la sauver, Anton l'avait su dès le début.

Anya se pencha, souffla son haleine tiède sur la joue blafarde, y posa un baiser, frôla les cheveux, dégagea l'oreille. Toute à sa déception, à son chagrin, elle avait oublié l'homme à la mitraillette. Elle y repensa soudain :

— Qui était cet homme ? Il te menaçait ?

— Non, non... Il est parti chercher une ambulance.

— Tu l'as cru ?

— Je le crois. Il était bouleversé. Ne t'inquiète pas.

Elle serra la main d'Anton, celui-ci fit de même. L'angoisse se dissipa.

Ensemble ils sauraient ce qui resterait à faire. Au fur et à mesure, ils le sauraient.

Sur cette parcelle du vaste monde, sur ce minuscule îlot de bitume, sur cette scène se joue, une fois de plus, une fois de trop, le théâtre barbare de nos haines et de nos combats.

Massacres, cités détruites, villages martyrisés, meurtres, génocides, pogroms... Les siècles s'agglutinent en ce lieu dérisoire, exigu, où la mort, une fois de plus, joue, avant son heure, son implacable, sa fatale partition.

Tandis que les planètes – suivant leurs règles, suivant leurs lois, dans une indifférence de métronome – continuent de tourner.

Comment mêler Dieu à cet ordre, à ce désordre? Comment l'en exclure?

Ayant attendu plus d'une heure à l'orée du pont, et se souvenant des termes de sa lettre, Steph se persuada qu'entre lui et Marie tout était définitivement rompu.

Il savait qu'elle avait bien reçu sa lettre et que le quartier qu'elle devait traverser pour le rejoindre était tranquille, bien que les communications téléphoniques aient été interrompues depuis quelques semaines.

Leur dernière rencontre avait été explosive. Souhaitant la laisser libre de son choix, Steph avait hésité à aller la chercher sur place. Dans ce trajet qu'elle ferait vers lui, il voyait le signe d'une véritable réconciliation.

Il l'aimait au-delà de tout. Il avait cru qu'elle l'aimait aussi. Il s'était trompé.

Marie avait sans doute décidé de se libérer de ce lien dont elle éprouvait sans doute plus de contrainte que de bonheur. Tout les rapprochait, mais à la fois tout les éloignait l'un de l'autre.

— Un jour, nous nous retrouverons et nous ne nous quitterons plus. Nous serons assez vieux, assez sages pour rire de nos querelles, se disaient-ils.

Elle n'y croyait sans doute plus.

À quoi jouaient-ils? Ils ne jouaient pas. Mais aujourd'hui, leur histoire avait pris fin. Il en éprouvait du chagrin, du ressentiment. Il en voulait à Marie d'avoir trahi leur pacte, celui de mourir l'un près de l'autre, quoi qu'il arrive.

Une foule compacte, chaotique, avançait en direction du pont. Steph s'était mis debout, en équilibre sur le muret, cherchant Marie du regard, espérant encore. Il élevait, croisait ses bras en l'air. Son pull-over d'un bleu vif ne pouvait passer inaperçu.

Il fallait s'y résigner, Marie ne l'aimait plus, Marie n'était pas là.

Au bout d'un moment, il avait sauté à terre et s'était enfoncé dans la foule.

C'était l'échec, la fin de leur histoire d'amour. Celle-ci n'avait été, sans doute, qu'une illusion qui tenait du rêve plus que de la réalité. Il en voulait à Marie d'avoir détruit ce dernier espoir. Il se sentait rejeté, trahi. S'agissait-il d'un autre amour ? Ou bien étaient-ce ses reportages, son métier qui avaient tout envahi ?

Il s'en voulut aussi d'avoir consacré la plus grande partie de son temps à ses fouilles. « Mais à présent, se promit-il, je leur consacrerai encore plus de mon temps. » L'amour était secondaire. Ses derniers travaux débouchaient sur de nouvelles perspectives, on vivait une période de découvertes prodigieuses. Il reviendrait dans ce pays dès que la guerre serait terminée et que cette population aurait fini de s'étriper.

Pour le moment, les chantiers étaient fermés, tout s'était interrompu. Dès le lendemain, il partirait, seul, car plus rien ne le retenait ici. Cette guerre l'avait troublé. Qui avait raison ? Qui avait tort ? La situation était des plus confuses.

Quant à Marie, elle saurait se débrouiller. Sans doute avait-elle trouvé un autre compagnon. À cette pensée, il eut mal. Leur aventure était close, bien close ; il fallait l'accepter.

Steph jeta pourtant un dernier coup d'œil autour de lui, cherchant encore un indice, un signe, tandis qu'Anya se débattait dans la foule. Déçu, exaspéré, il s'élança dans la direction d'un autocar qui venait de s'engager sur le pont.

— Arrêtez ! Arrêtez !

Une main, un bras se tendirent hors du véhicule. Il s'y accrocha, se haussa jusqu'au marchepied. Puis s'engouffra à l'intérieur et se faufila parmi la multitude des passagers.

Encerclé par une foule compacte, serré entre des enfants, des femmes, des vieillards, il se tenait immobile, cherchant à occuper le moins de place possible.

Cela sentait la sueur, l'urine, le désespoir. Un sentiment d'isolement le submergea. Il s'abandonna dans une sorte d'impassibilité de plus en plus glacée.

En renonçant à Marie pour toujours, il lui semblait se dessaisir de sa vraie vie.

Tandis que son corps la lâche, Marie se souvient :
— Je ne serai pas ta routine.
Et Steph de rétorquer :
— Je ne deviendrai jamais ton habitude.

Il avait fallu toute l'attention d'Anton pour lui trouver une position confortable, sur le dos, la nuque légèrement soutenue. Par instants, la douleur la quittait, puis elle réapparaissait comme un glaive fouillant sa chair.

À travers une brume, ayant aperçu le jeune homme à la mitraillette, elle avait tremblé pour Anton. Puis, tout s'était passé. Elle se souvenait encore des yeux presque compatissants de l'étrange guerrier penché au-dessus d'elle, scrutant son visage.

Anya avait disparu depuis longtemps. Puis elle était revenue, mais seule. Que s'était-il passé ? Steph avait-il lu son message ? Savait-il à présent pourquoi elle n'avait pas pu le rejoindre ?

Rien, dorénavant, ne se transformerait en habitude ou en routine, elle en était certaine.

Elle se laissait convaincre que la vie s'offrirait à nouveau et qu'ils la saisiraient, ensemble, à pleins bras, à pleins corps.

Marie fixa le vieux couple avec tendresse. Elle souhaitait plus tard leur ressembler ; elle tenta de le leur dire. Ses mots s'effritaient en chemin.

À genoux auprès d'elle, ils murmuraient tous deux à voix inaudible. Ensuite la femme se pencha un peu plus, repoussa les cheveux de Marie pour dégager son oreille, s'apprêta à parler. Qu'attendait-elle ?

Marie patienta, espérait entendre : « Je l'ai vu. Il a votre message. Il sait tout. Il arrive. »

Marie aurait voulu entonner tous les chants d'amour dont elle se souvenait. Elle aurait aimé effacer tous les sarcasmes, tous les doutes, toutes les craintes, toutes les inquiétudes. Elle s'alliait et se reliait à cet amour orageux mais robuste; déroutant mais tenace. Elle accepterait ses chemins escarpés, ses moments abrupts, ses colères ténébreuses, ses humeurs, ses errements, ses complexités, ses subtilités, ses chicanes, ses querelles, ses démêlés, ses vides. Elle ne se soucierait plus du jugement des autres. Que savent-ils de l'amour ceux qui croient que celui-ci n'offre que des terres paisibles et rassurantes? Ceux qui pensent que la jouissance, l'euphorie des corps suffisent; ceux qui ignorent que l'amour se perpétue au-delà des sens, qu'il s'enracine à la fois dans la volupté et dans l'ailleurs. Que l'amour tient du toucher, de l'odorat, du goût, de tous les sens, mais va plus loin encore. Mystérieux comme la vie, pétri de folie et de sagesse. Marie voudrait chanter l'amour, le bel amour; chanter tout ce qui se bâtit dans le mystérieux combat de la lumière et des ombres, chanter ce désir d'être dans sa peau et hors de sa peau...

Pourquoi Anton et Anya tardent-ils à lui parler? Elle cligne des paupières pour solliciter une réponse. Ils chuchotent encore.

Marie prend peur. Si Steph, après avoir réfléchi, avait renoncé à leur rendez-vous?

S'il avait décidé de ne plus la revoir? Si leur aventure s'était terminée là, pour toujours...

Le jeune homme à la mitraillette s'était éloigné.

Il adoptait une démarche hautaine, et se sentait investi, grâce à cette arme virile, d'un mystérieux pouvoir.

Gorgio se demandait pourtant comment agir en cette circonstance. Qui était ce vieil homme ? Peut-être un ennemi à sa cause ? Dans ce cas fallait-il lui porter secours ? Mais quelle était sa propre cause ? Souvent, il la perdait de vue.

Le pays s'était divisé, démembré, les courtes trêves se transformaient en représailles, en vengeances, puis, les luttes reprenaient. La souhaitait-il cette paix qui détruirait d'un coup ses privilèges, saperait la puissance que lui conférait son arme, qu'on lui reprendrait sans doute dès que les hostilités cesseraient.

Gorgio et sa mitraillette ne faisaient plus qu'un ! Elle avait métamorphosé son existence. Il s'en occupait avec minutie, faisait briller la crosse, frottait le canon, inspectait le cran de sécurité, la chargeait, la rechargeait plusieurs fois par semaine. Son camp lui fournissait généreusement des balles. Il avait rapidement appris le maniement de son arme ; ses années d'adolescence, qui s'étaient éparpillées sans véritable projet, avaient enfin atteint leur objectif.

Lorsque le conflit éclata, Gorgio venait d'avoir vingt ans. Ayant raté ses études, il chercha avant tout à échapper à l'emprise de son père. La guerre fut une aubaine. Il choisit le camp adverse de celui des siens et quitta, un soir, le domicile familial avec éclat.

L'enrôlement s'était fait sans difficulté. On recrutait partout, en hâte et dans le désordre.

Il fut d'abord chargé de surveiller un dépôt d'armes ; puis les ordres devinrent contradictoires, se transformant au gré des jours.

Dans ce pays exigu qui ne comptait que trois millions d'habitants, ethnies, religions, milieux sociaux s'étaient, croyait-on jusqu'ici, entremêlés. Brusquement les situations s'étaient inversées, on se trouvait des ennemis partout.

Les ordres fluctuaient, vacillaient, les groupes se divisaient, se réconciliaient ; tous les cas de figure d'alliance ou d'hostilité se suivaient à un rythme hallucinant. Ainsi que d'autres jeunes gens, futurs francs-tireurs, Gorgio devint le maître et l'esclave de sa mitraillette. Il jouissait ainsi d'une autonomie singulière, qui ne lui déplaisait pas. Il avait parfois l'impression de mener, seul, le combat, de choisir ses propres ennemis, et selon les possibilités, ses divers lieux d'habitation.

C'était l'été. Depuis quelques jours Gorgio logeait en solitaire dans un appartement aux trois quarts démoli, au neuvième étage d'un immeuble récent, non loin du domicile de son père. Par moments, de son balcon, il s'amusait à prendre pour cible tout ce qui bougeait dans les parages. Étant toujours à distance de ses victimes, il n'avait jamais affronté les conséquences de son acte.

Depuis la veille il songeait à changer de quartier ; dans celui-ci, d'abord livré aux bombardements, puis peu à peu abandonné par ses habitants, plus rien ne se passait. Il hésitait encore, son logement récent lui plaisait.

Il se demandait si sa propre famille avait évacué leur vaste maison avoisinante. Il ne tenait pas à les revoir. Son père ne l'aimait pas, ses deux sœurs, il n'y pensait plus. Seul le visage mélancolique de sa mère le hantait parfois ; il se sentait alors responsable de sa tristesse et souhaitait la rassurer.

Anya passa son bras par-dessus les épaules nues et brûlantes de son époux tandis qu'il maintenait à bout de bras, au-dessus du visage de la jeune femme, un morceau de carton, trouvé au bord de la chaussée, pour la protéger du soleil.

Anya admirait Anton pour son intrépidité, sa façon d'enjamber l'angoisse, de ne tenir compte que du présent, de se préoccuper de la blessure de la jeune femme, de ce soleil sans pitié, de ce sang dont il fallait arrêter l'écoulement. Elle l'aimait pour le peu de cas qu'il faisait de sa propre personne. Elle l'aimait en son corps vieilli, en ses cheveux blanchis, à cause de leurs souvenirs obscurs et lumineux, tendres et orageux ; aussi à travers son désir de garder la jeune femme en vie jusqu'à l'arrivée de Steph.

Elle avait eu du mal à le décevoir, à lui dire que Steph avait disparu, qu'il ne fallait plus compter sur son arrivée, que la foule était trop dense, qu'elle n'avait pas pu l'atteindre ou même lui communiquer le message et qu'il s'était engouffré dans un car qui s'éloigna à grande vitesse. Elle lui raconta cela, tout bas.

C'était grave, si grave qu'Anton en oublia le bref passage du franc-tireur.

En défenseur ou en attaquant, Gorgio éprouvait une réelle satisfaction à inspirer de la crainte.

Il lui arrivait de prendre sous sa protection, avec d'autres camarades, une maison, ou tout un quartier. Mais, dans la même journée, il s'octroyait le droit de descendre un fuyard ou un passant sur qui se portaient de vagues soupçons. Ce dernier le payait alors de sa vie. Cela ne le tracassait pas outre mesure. Il se sentait investi d'une mission dont la cause exacte lui échappait, mais qui lui conférait un prestige que les siens, son père surtout, lui avaient refusé.

Depuis une dizaine de jours, Gorgio régnait sur un territoire abandonné, un bel appartement dont il se sentait le maître.

Dans ce lieu solitaire, Gorgio appréciait l'existence et y tenait de plus en plus. Sa vie dépendait de lui seul, il n'avait de compte à rendre à personne.

Ses études avaient été médiocres. Son père, avocat de renom, issu d'une famille modeste, avait fait son chemin, sans aide, en luttant. Il se désolait des incapacités de son fils, qu'il ne pouvait s'empêcher de harceler et d'humilier :

— Tu ne seras jamais personne !

Gorgio rejeta avec encore plus d'obstination toute forme d'enseignement. Il séchait les classes dès qu'il en trouvait l'occasion. Cette guerre fut une aubaine, une diversion, un miracle ! L'arme le sacra, lui fournit une cause, lui donna de l'importance.

Il y avait un mois, il avait croisé son père, par hasard, dans ce même quartier. Ce dernier l'avait à peine reconnu avec son képi retourné, son allure arrogante, sa démarche assurée.

— C'est toi, Gorgio ?

— Il est devenu « quelqu'un » ton fils, rétorqua-t-il.

— Baisse ton arme pour me parler, dit ce dernier, appliquant sa paume sur la bouche du canon.

Gorgio eut une subite envie de le braquer :

— Tu disais que je ne serais jamais personne. Regarde-moi à présent.

— Tu n'es rien. Tu n'es toujours rien, et tu ne me fais pas peur !

Gorgio fit un effort pour se maîtriser tandis que son père le déshabillait du regard. D'un geste brusque, comme s'il s'arrachait au sol, il tourna les talons, s'éloigna les mâchoires serrées, les deux mains crispées sur sa mitraillette. De loin, il entendit :

— Reviens. Reviens. Parlons-nous, mon fils.

— Va au diable ! murmura Gorgio.

Et il poursuivit sa route sans se retourner.

Anya s'en voulait de n'avoir pas couru plus vite, de n'être pas arrivée à temps. Elle injuriait son vieux corps, ce cœur usé, ce pauvre souffle. « Sale carcasse », répétait-elle.

Anton lui prit la main :

— Tu as fait ce que tu pouvais. Un jour, ensemble, nous le retrouverons quoi qu'il arrive, et il saura.

— Ce sera trop tard.

— Au moins, il saura. Il faudra qu'il sache la vérité.

— Tu as raison, nous le retrouverons.

Ils iraient jusqu'à l'adresse indiquée au revers de l'enveloppe, c'était loin, à l'autre bout du pays. Ils connaissaient son prénom, ils possédaient sa photo, ils interrogeraient chaque villageois, ils le reconnaîtraient dans ce chandail bleu qu'il devait porter quotidiennement, car la trame en paraissait usée, ramollie.

Anya se pencha, toucha de ses lèvres l'oreille de la jeune femme. Tous deux venaient de se mettre d'accord sur les paroles qu'elle allait prononcer.

Anton posa sa main sur le dos de sa femme ; les mots retrouveraient plus facilement leur chemin.

Chaque fois qu'il l'évoquait, Gorgio tremblait au souvenir de la rencontre avec son père. Son regard le poursuivait. Il regrettait parfois de n'être pas retourné sur ses pas pour demander des nouvelles de sa mère et de ses deux jeunes sœurs.

Soudain l'image du vieil homme, torse nu, qu'il venait de quitter, avait resurgi ; en même temps que celle de la jeune femme mortellement pâle. Il pressa le pas, il fallait leur venir en aide. Il le souhaitait vraiment.

Des groupes de francs-tireurs dispersés se retrouvaient de temps à autre pour comparer leurs tableaux de chasse. Gorgio n'irait pas cette fois au rendez-vous. Les visages du vieux et de la mourante l'obsédaient. Son seul but était à présent de se mettre en quête d'une ambulance.

Ces deux-là avaient soudain pris une énorme importance dans sa vie, il se demandait pourquoi. Était-ce de les avoir vus de si près, tandis que tant d'êtres demeuraient abstraits, perdus dans le lointain ?

Était-ce la présence de ce vieillard aux traits puissants, ravagés par le chagrin, qui s'était fortement gravée dans sa mémoire ? Ou celle de cette femme, jeune encore et belle, qui perdait son sang ?

Il s'étonnait de se sentir tellement concerné. Depuis les hostilités, il lui semblait vivre en marge de ses actes, parallèlement à cette guerre et à ses atrocités, comme si son double y participait, et le laissait hors champ.

Pour rejoindre l'hôpital, qui se trouvait à l'est de la ville, Gorgio irait à pied ; il n'y avait plus d'autre moyen de locomotion.

Depuis quelques semaines, Gorgio régnait sur tout un immeuble de grand standing, dévasté, criblé de balles, délaissé par ses propriétaires et ses locataires.

Il entrait et sortait des appartements à l'abandon, s'y nourrissait, y couchait. Il allait et venait entre ces grands espaces – souvent somptueusement meublés – en seigneur des lieux, vidant les frigidaires, s'allongeant sur de moelleux canapés, parcourant d'un air distrait des revues aux photos miroitantes ou de vieux journaux. L'électricité ne fonctionnait plus, mais il avait trouvé un lot de bougies rouges qu'il allumait vers le crépuscule avec le briquet argenté trouvé sur un guéridon, dont il ne se séparait plus. Il dénicha des cigarettes et même une boîte de cigares à moitié remplie. Au bout de quelques jours, il chercha un lieu propice pour s'y établir durant la poursuite des combats. Une sorte de nid d'aigle qui lui permettrait d'inspecter la rue du balcon à toute heure.

Il finit par élire domicile au 9e étage d'un immeuble cossu dans l'appartement déserté et confortable d'un écrivain d'un certain renom. Les murs étaient tapissés de bibliothèques bourrées de toutes sortes de livres. Le père de Gorgio en possédait des quantités lui aussi, mais par réaction envers ce dernier il les avait tenacement boudés, ne jetant qu'un regard rapide sur les titres de la presse quotidienne, s'attardant parfois sur les magazines, s'enfermant dans sa chambre pour écouter la radio ou ses disques, dont il amplifiait le son.

Dans ce lieu miraculeusement offert et dont il devenait l'unique propriétaire, il se sentit libre.

On lui avait fourni son arme, puis on lui laissait faire sa besogne : surveiller les habitants du quartier, faire régner une terreur secrète en visant de temps à autre un passant qui tentait de franchir une ligne de démarcation – celle-ci se déplaçait sans cesse au gré des batailles – ou un individu qui paraissait suspect selon le coup d'œil et un rapide jugement.

Il lui fallait ensuite – suivant les circonstances et les changements de chef – se tenir au courant des récentes tactiques de combat, rendre compte de ses abattages, des suspicions, de l'état des lieux et des mouvements de retour d'une population instable qui avait déguerpi au moment des bombardements et qui, ne trouvant nul secours ailleurs, reviendrait vers leurs anciennes habitations. Celles-ci étaient tellement lacérées et dégradées qu'elles seraient peut-être, dorénavant, à l'abri de nouvelles attaques.

Les heures étant souvent interminables, Gorgio fouillait dans la bibliothèque. Feuilletant un livre, puis un autre et un autre encore, il s'arrêtait parfois sur une phrase qui, soudain, le happait et semblait avoir été écrite pour lui seul.

« Je ne suis ni rouge, ni noir, lisait-il, mais couleur de chair. » C'était signé Sigmund Freud, dont il avait vaguement entendu parler.

« Je hais cette vanité qui s'occupe d'elle-même en racontant le mal qu'elle a fait, qui a la prétention de se faire plaindre en se décrivant et qui, planant indestructible au milieu des ruines, s'analyse au lieu de se repentir », écrivait Benjamin Constant. Il se répéta « planant indestructible au milieu des ruines ». L'image lui renvoya la sienne, il s'y voyait et elle lui plut. Quant à « s'analyser », cela n'avait jamais été son objectif. « Se repentir » encore moins !

Après avoir écouté du jazz sur une cassette, ou une chanson d'amour, ou un bout de symphonie – l'écrivain avait des goûts éclectiques –, Gorgio se prenait au jeu, celui de piquer une phrase par-ci, une pensée par-là, et s'exerçait à la garder en mémoire. Dans cette bibliothèque, la variété des livres était grande. De la poésie à l'essai, de la philosophie au roman, de la bande dessinée à l'histoire. Il chercha un calepin, le trouva ainsi qu'une pointe Bic à triple couleur. Il y inscrivit les paroles qui excitaient son attention en rouge, à la suite les unes des autres, quitte à y réfléchir plus tard. « Pour quand je serai vieux, se dit-il. À présent, j'agis, je vis. »

Peu à peu cette sorte de pêche le captiva, le passionna. Il jetait son filet, harponnait une phrase, ferrait quelques

paroles, les inscrivait dans une écriture appliquée pour
«plus tard». Il lui semblait, à travers ces mots-là, se découvrir, pénétrer en secret, à l'abri, une part de lui-même,
toute une région dont il devinait l'importance mais qu'il
ne se sentait pas encore prêt à affronter.

«La bêtise, c'est de vouloir conclure», disait Flaubert.
«J'entendrai toujours la vie s'élever contre la vie», écrivait
Artaud. «L'orgueil nous divise encore davantage que
l'intérêt», ajoutait Auguste Comte. «Les gens gagnent à
être connus, ils y gagnent en mystère», reprenait Jean
Paulhan.

Ces mots résonnaient comme un écho. Ces mots son-
naient juste. Gorgio ressentait qu'ils cheminaient, lentement, étrangement, vers le fond de son être.

«Si le mal est profond, plus profonde encore est la
joie», affirmait Nietzsche. «Le poète n'est d'aucun parti.
Autrement il ne serait qu'un simple mortel», disait
Baudelaire.

De quel parti était-il, lui, Gorgio? Le savait-il vraiment? Ou bien s'était-il lancé dans l'aventure pour se
prouver... se prouver quoi? Qu'il tenait debout, seul?
«Plus tard, conclut-il, ce n'est pas encore le temps... Je
verrai tout ça plus tard, je réfléchirai à tout ça plus tard.»

Les mots, eux, ne le quittaient pas. Il écrivait, il écrivait; le carnet s'emplissait de jour en jour. «Le parfait
voyageur ne sait où il va.» Lao-tse. Je suis donc le «parfait voyageur»? se demandait-il. Suivait la voix de ce
Jalāl al-Dīn Rūmī, étrange poète du XIIIᵉ siècle, «Ne va
pas dans le voisinage du désespoir : il existe des espoirs.»
Quel espoir lui restait-il? Après tant de dégoût, d'humi-
liation, de morosité, d'enfermement, de refus, le seul ferment d'éveil avait été la haine puis les violences. Avant il
n'était rien, une créature méprisée, et le voilà soudain à
la tête de sa propre destinée, aux commandes de celle des
autres. Le miroir biseauté de l'entrée lui offrait une
image satisfaisante de sa nouvelle personne. Débraillée
mais virile, provocante, imposante, à laquelle l'arme
ajoutait prestige et fierté.

« En vérité, nous ne savons rien : la vérité est au fond de l'abîme », clamait Démocrite. Dans ce cas Gorgio avait bien raison d'avancer aveuglément, selon son instinct, sans chercher plus loin.

Il y revenait encore à ces livres, leurs voix devenaient palpables, tangibles ; elles semblaient l'entourer, l'encercler et lui imposer leur force, leur vitalité, leurs appels.

« Le remède de l'homme, c'est l'homme », venait-il de trouver. Il s'agissait du dicton d'une peuplade du Sénégal, les Wolofs, qu'il venait de découvrir dans un recueil de proverbes. Ce dicton le troubla. « De qui serais-je le remède ? »

Il chercha dans ses souvenirs. L'image de sa mère qu'il avait tellement fait pleurer transperça sa mémoire, elle surgit devant lui avec ses larmes. Il eut envie de sécher tous ces pleurs et de caresser ses joues. Ce jour-là, il ne tenait plus entre ses quatre murs, et sortit plusieurs fois sur le balcon. La grande rue était déserte, nue comme une paume. Il se pencha en avant sur le point de vomir. Une bouillie de paroles bourdonnait dans son crâne. Il répétait « Maman, maman... il ne faut pas... souffrir... pleurer... ton enfant... je suis... t'aime... aime. »

Aussitôt, il s'en voulut de ce laisser-aller, de cette rêvasserie, de ces larmes qu'il sentait monter à ses yeux, comme pour noyer ceux de sa mère. Ce comportement lui parut si peu viril qu'il en eut honte.

Il retourna dans le fond de l'appartement, déterra une bouteille de whisky à moitié pleine, se versa une rasade, alluma une cigarette et ressortit sur le balcon, l'arme au pied, pour faire le guet.

Le soir, il reprit ses lectures disparates à la lueur d'une bougie. Privé de téléphone et de télévision, il s'accrochait à ce grenier de pensées comme à une bouée de sauvetage.

« L'important ce n'est pas de tomber, c'est de ne pas rester à terre », Goethe.

Son calepin se remplissait, il le gardait toujours en poche. Il lui semblait amasser des graines, des semences pour un mystérieux avenir. Et s'il n'avait plus ou pas d'avenir ? « Ce n'est pas la destination qui compte, c'est le voyage », répondait Jack London. Il écoutait Antoine Blondin : « Je reste au bord de moi-même, parce qu'au centre il fait trop sombre. » « La vraie liberté, c'est de pouvoir toutes choses sur soi », affirmait Montaigne. « N'oublie pas que vivre est gloire », concluait Rilke sur son lit de mort.

À parcourir tous ces livres, il éprouvait un plaisir neuf, intense. Son œil avide détectait les mots qui pouvaient lui servir. Il en tirait rapidement le suc ou un rayon de lumière, ou bien une chaude proximité.

À travers sa totale liberté et ces soudaines découvertes, il lui semblait vivre. Vivre comme jamais.

L'image de la jeune femme si rapidement entrevue s'imposa de nouveau à Gorgio. « Vivre est gloire », se rappela-t-il, et il hâta le pas.

Il faisait une chaleur torride. Il pensa au corps transpercé de cette jeune femme étendue sous la dureté du soleil ; puis aussitôt au vieil homme agenouillé qui l'éventait avec un morceau de carton.

Au moment où il avait tourné les talons pour chercher du secours, une personne âgée était apparue. Celle-ci, à bout de souffle, avait le visage défait ; en l'apercevant, elle fut prise de panique. Il devait, sans doute, provoquer la terreur même quand il ne le souhaitait pas.

À présent, il fallait qu'il se hâte pour ramener l'ambulance. La jeune femme, dont le beau visage blême ne cessait de le poursuivre, était à l'agonie. « Vivre est gloire », se répétait-il. Avait-il suffisamment conscience du prix de la vie jusqu'à ce jour ?

L'ancienne photo de sa mère en pleine jeunesse lui revint en mémoire. Elle était belle, elle aussi ! Les visages de ces deux femmes se touchaient, se rejoignaient, se confondaient. Il éprouva pour l'une et l'autre une profonde compassion. Gorgio avait laissé sa mère sans nouvelles depuis plus d'un an, il en éprouva un remords cuisant et prit ses jambes à son cou. Il ne savait plus pour laquelle de ces femmes il courait si vite.

À travers sa chemise blanche qui se gonflait à chaque pas le soleil mordait sa peau ; il défit les premiers boutons, essuya avec un large mouchoir sa poitrine velue, ses aisselles, tout en continuant de courir. Il ne s'était pas rasé depuis quarante-huit heures. La sueur s'insinuait sous les bords de sa casquette, glissait sur ses tempes, ses joues, sa nuque. Il pensa à la douche du soir, dans la confortable salle de bains au carrelage vert; par bonheur l'eau y coulait toujours.

Gorgio s'élance, court, se répète : « Vivre est gloire! », comme un refrain. Il n'avait jamais songé à la vie de cette façon-là! Il tuait, sur ordre; ou bien, par fascination de la mort.

Arrivé à la limite du quartier, il interpella un marchand de légumes qui s'apprêtait à fermer sa boutique.

— L'hôpital est toujours par là?

— Je n'en sais rien! Moi, je boucle tout. Je m'en vais, je quitte! Le pays est devenu invivable. Il est pourri, en loques, ce pauvre pays!

— L'hôpital n'a pas été bombardé?

Le boutiquier croisa ses bras, fixa Gorgio, et le toisant avec mépris :

— Pour qui te prends-tu avec ta mitraillette? Tu ne me fais pas peur, ni toi, ni tes bandes d'assassins. Vous me dégoûtez, tous! Vous l'avez foutu en l'air votre pays... Tout le monde se hait à présent... Tu me fais honte... Va-t'en!

Il y a quelques heures à peine Gorgio se serait emporté et, dans une explosion de colère, il aurait peut-être tiré sur cet individu qui le narguait. Cette fois il ne pensait qu'à une chose : arriver le plus rapidement possible à l'hôpital.

Le marchand hurlait de plus en plus fort. Comme Gorgio ne répondait pas, il lui lança d'abord en pleine figure, puis en le poursuivant, des prunes, des citrons, des pommes, des tomates encore à l'étalage :

— Salaud, fils de salaud! Assassin! Criminel! Meurtrier! braillait-il.

Les tomates éclataient sur la chemise blanche. On aurait dit des flots de sang.

« Vivre est gloire », se répétait Gorgio redoublant de vitesse.

Marie ne bouge presque plus. Marie respire à peine.

Pour lui parler, il faut utiliser peu de mots : des mots simples, des mots essentiels, qui vont du cœur au cœur. Des mots qui se glissent, petit à petit, avec leurs consonnes, leurs voyelles, dans le corps et la pensée de Marie. Des mots qui deviendront la matière de ce corps, le ferment de cette pensée, des mots à lent parcours qui traverseront le conduit auditif, atteindront la caisse du tympan, percuteront les osselets, ensuite le rocher ; des mots qui se frayeront lentement passage dans le labyrinthe de l'oreille. Des mots aimés, des mots aimants, ressentis, agrippés à l'espérance. Des mots vrais, même s'ils mentent. Des mots forgés d'amour et de promesse, même s'ils simulent. Des mots réels et fictifs. Des mots pour vivre et pour rêver.

Anya imagine le désespoir qu'elle aurait ressenti si Anton n'avait pas su combien elle l'aimait ! Elle serait rentrée en lutte contre cette mort qui la narguait, elle se serait arc-boutée pour lui faire front au prix de nouvelles souffrances, elle aurait lutté pour lui faire obstacle jusqu'à l'arrivée d'Anton. Elle compare sa mort prochaine à cette mort-ci. Si tout se passe selon son désir, elle s'éteindra dans les bras d'Anton, elle acceptera cette navigation vers le dernier port. Un glissement consenti de tout ce fleuve de l'existence se déversant, puis se dissolvant, dans l'inconnu.

— Il t'attendait, souffle Anya dans l'oreille de Marie avec tant de conviction qu'elle finissait par y croire elle-même. Je l'ai vu, je l'ai tout de suite reconnu. Nous nous sommes parlé. Il sait que tu venais à lui et combien tu l'aimes. Il me suit. Il sera bientôt ici auprès de toi.

Elle la tutoyait sans effort. Chacun de ses mots se transformait en images heureuses. Marie souriait. Elle avait perdu la notion du temps, on pourrait ainsi la maintenir dans l'illusion jusqu'au bout.

— Il vient... Il arrive... Il est en route, reprit Anton.

Le visage presque éteint ressuscita, la pâleur s'estompa ; autour des yeux les cernes bleutés s'éclaircissaient.

Anya se tourna vers son époux :

— Elle m'entend, n'est-ce pas ?

— Rassure-toi, elle a tout entendu.

Anya transpire, la torsion de son dos courbé en avant lui est pénible. Elle applique ses mains sur ses reins ; elle craint que ses forces ne l'abandonnent.

Anton prend le relais :

— Bientôt Steph sera là. Je t'avertirai dès qu'on l'apercevra au bout de la rue.

Anton et Anya échangent un regard complice.

Dans l'autocar qui cahote, pressé, perdu parmi la foule des passagers, Steph se demande de quelle façon il passera les quelques jours qui lui restent avant le départ. Il n'avait pas prévu ce déroulement. Il s'était rendu à l'endroit indiqué en confiance. Il avait cru à cet amour. Il avait été ridiculement crédule !

Son but à présent était de retourner au lieu des fouilles – le site était clos depuis plus d'un mois – d'amasser ses affaires et les documents déposés chez un collègue. Ce dernier, lassé de se croiser les bras, avait abandonné femme et enfants pour aller se battre. Steph fut étonné de le voir choisir le camp qui prônait un nationalisme exacerbé.

En partant, Taras lui avait même donné un revolver.

— Pour quoi faire, je ne m'en servirai pas.

— Pour te défendre, pour défendre les tiens.

— Jamais je ne me servirai d'une arme. Jamais je ne tuerai !

Taras le lui avait fourré d'office dans la poche :

— Garde-le en souvenir de moi. Et puis, on ne sait jamais !

— Tu me déçois, je te croyais...

Taras haussa les épaules et s'éloigna à grands pas.

Steph ne savait pas où et comment se débarrasser de l'arme.

Hostile à ce conflit où trop d'intérêts lui paraissaient en jeu, Steph avancerait son départ autant que possible. Les antagonismes, les disparités pouvaient se résoudre autrement. Guidés par des pulsions haineuses, les hommes se précipitaient vers les guerres qui ne résolvaient rien. Après ces déchaînements venait l'oubli : les mêmes conditions d'injustice se reproduisaient, tant de malheurs ne leur avaient rien appris. Les hommes se plagiaient, se singeaient comme s'ils ne pouvaient échapper à leur propre nature, comme s'ils étaient contraints à se pasticher, à jamais.

Connaissant, grâce à son métier, les déroulements de l'Histoire, Steph questionnait l'Histoire. Qu'était-elle d'autre, depuis les origines, que violences, qu'instinct prédateur, que désir de domination ? Déjà la bactérie ne se perpétue qu'en absorbant, qu'en dévorant l'autre ; était-ce une nécessité, une fatalité gravées dans nos cellules ? De peuples à peuples, de familles à familles, qu'était-elle d'autre, la vie, que batailles, où la vanité, l'orgueil, la course au pouvoir et à ses avantages devenaient les leviers de l'existence ? Mais y aurait-il eu Shakespeare, Eschyle, Euripide, Molière, Dostoïevski et d'autres, si nous n'appartenions qu'à une tribu sage, bienveillante, pacifique ?

Sa poche était large, profonde ; le revolver avait glissé jusqu'au fond. Steph en oublia la présence.

Steph repensa à sa relation avec Marie, aucun d'eux n'avait su créer des liens tranquilles, apaisants. Il leur fallait des orages. Concorde et trêve réclamaient, semblait-il, dans tous les domaines, de brusques et soudaines dramatisations.

Steph s'en voulait de ses colères auxquelles Marie rétorquait sur-le-champ. Parfois il la souhaitait plus souple, plus rassurante, plus préoccupée de lui plaire, plus engagée dans la même voie que la sienne...

— Tu redeviens « hégémonique », disait-elle.

— Tu as de ces mots !

— Ton « irréductibilité »... m'agace, disait-il.

— Tu as de ces mots !

Ces expressions barbares les faisaient subitement éclater de rire, ou bien durcissaient le conflit.

— Nous ne sommes pas faits l'un pour l'autre.

Il lui reprochait son goût de la solitude, son refus de l'autorité, son inaptitude à l'exercer, vis-à-vis des autres ;

sa façon d'aller vers les gens par inclination jamais par réflexion.

— Ton seul levier est le sentiment. Tu te feras toujours berner.

Dans cet autocar, Steph se sentait captif, pris dans un étau, serré de toutes parts, bousculé par cette foule qui s'agglutinait autour de lui. La chaleur était intense. Le chauffeur débrayait, embrayait sans arrêt. La foule chavirait, d'un côté puis de l'autre, le rejetant, le poussant dans tous les sens.

Sur le point d'étouffer, une fillette s'agrippa à ses jambes en hurlant. Il l'extirpa de la mêlée, la posa à califourchon sur ses épaules sous le regard reconnaissant de la jeune mère qui tenait déjà un nourrisson dans les bras. Il songea à Marie, aux enfants qu'ils auraient pu avoir.

Pourquoi avait-il pris, si rapidement, le parti de la perdre ? Peut-être qu'il avait été mal renseigné sur la tranquillité de ce quartier qu'elle devait traverser pour le rejoindre. Peut-être n'avait-il écouté que son amour-propre, une fois de plus ? Peut-être était-elle en danger ?

Steph chercha à bouger. Dans cette foule compacte, il reprit conscience du revolver qui le gênait dans ses mouvements. Craignant qu'un des passagers ne s'aperçoive qu'il portait une arme et que celui-ci le signale aux autres, il détacha l'écharpe qu'il portait autour du cou, la glissa dans sa poche pour envelopper le revolver.

Puis, cela le prit d'un seul coup, il s'entendit crier dans la direction du conducteur :

— Où est le prochain arrêt ?

Sa voix se perdit dans le vacarme. Tambourinant de ses deux poings sur sa tête, la petite fille joignit ses criailleries à la question qu'il répéta encore plus fort :

— Le prochain arrêt, c'est où ?

— Où, où, où, hurlait la fillette, tambourinant de plus belle.

Le chauffeur finit par l'entendre. D'une voix tonitruante il lança :

— Le plus tard possible !

Se tournant vers les passagers qui se pressaient autour de lui, le conducteur reprit :

— Il faut d'abord sortir de ce merdier ! J'entends tirer autour de nous. Il va falloir faire vite… Surtout ne s'arrêter sous aucun prétexte si on veut échapper aux balles ! Rouler, rouler sans regarder derrière soi. Là-bas, de l'autre côté est le salut, je l'espère. Du moins c'est le seul possible.

Son message finit par atteindre Steph. L'autocar ne s'arrêterait plus. Le visage de Marie s'amenuisait, s'éloignait :

— Elle ne veut pas de moi, et moi je ne veux plus d'elle ! trancha-t-il.

Mais ce même visage se recomposa, se rassembla comme un puzzle, avec ses morceaux disparates. Un visage aussi blême qu'il le devenait au cours de leurs disputes.

Steph ne pensa plus alors qu'à quitter l'autobus, qu'à courir en sens inverse, à toute vitesse, à sa rescousse.

La foule formait une muraille de plus en plus compacte ; et que faire de l'enfant juché sur son dos ? Avisant un jeune homme à la puissante carrure, il percha la fillette sur ces épaules-là, sans rien demander.

Amusée de ce qu'elle prenait pour un jeu, l'enfant applaudit avant de se mettre à ébouriffer de ses deux mains l'épaisse chevelure de son nouveau porteur. D'abord surpris, celui-ci se laissa faire sans protester.

Durant ce temps, Steph, poussant des coudes, bousculant la mêlée, cherchait l'issue la plus proche. Ignorant sa décision, accablés et rompus de fatigue, les réfugiés se laissaient faire, s'écartaient, reculaient, se pressaient les uns contre les autres pour lui ouvrir passage.

Sur le flanc de l'autocar la portière centrale était bloquée par un amas de vieilles valises, hâtivement ficelées, et de boîtes de carton.

L'autre sortie, à droite du chauffeur, paraissait inaccessible.

Marie entend distinctement et reconnaît les voix d'Anton et d'Anya. Parfois celles-ci s'entrelacent ; d'autres fois elles lui parviennent une à une.

Leurs présences lui sont de plus en plus proches. Comme elle les aime d'être ici, auprès d'elle. Ces moments si graves les ont étroitement reliés.

Marie tente de leur sourire. Son visage lui échappe, il est loin, inatteignable, on dirait qu'il lui appartient de moins en moins. Elle a du mal à commander ses muscles, à tirer de sa face défaite l'expression souhaitée. Elle s'efforce de nuancer son souffle pour exprimer sa tendresse, sa gratitude, elle y parvient à peine.

Les minutes s'allongent, les secondes s'étirent. Depuis l'arrivée du vieux couple, depuis la disparition puis le retour de la femme, toute une vie s'est déroulée.

Quelle qu'en soit l'issue à présent, tout est en place, tout est bien, puisque Steph va bientôt arriver. Ils le lui ont dit. Il sera ici sous peu. Il sait qu'elle courait vers lui, qu'elle l'aime, qu'elle l'aimait ; que rien d'autre ne compte.

Elle n'a plus qu'à attendre son arrivée, qu'à imaginer déjà son visage penché au-dessus du sien. Alors, elle en est persuadée, ses traits lui obéiront ; le sourire submergera sa face.

Plus tard, l'âge ayant raboté leurs aspérités, quand les années, qui ne seront pas parvenues à les séparer, les auront ajustés l'un à l'autre, ils franchiront, ensemble, le dernier parcours.

— Elle a souri, dit Anton. Elle nous entend.

Anya se penche, cherche des mots neufs, s'embrouille, s'affole :

— Chante, lui souffle Anton. Tu as une belle voix…

Une chanson de Brel lui vient subitement à l'esprit, elle la fredonne :

Bien sûr nous eûmes des orages
Vingt ans d'amour
C'est l'amour fort…

Persuadés que Steph ne viendra plus, Anton et Anya sont décidés à maintenir l'illusion jusqu'au bout.

— Elle n'en a plus pour longtemps, chuchote Anton après avoir repris son pouls. Chante, chante toujours !

Anya chante. Mêlant Gainsbourg à Cabrel, Trenet à Brassens, Ferré à Souchon, Brel à Chedid… Des bribes, des mots épars, des phrases, des airs dont elle se souvient. Un brassage de joies et de peines, de fronde et de réconfort.

Anton sait que la jeune femme n'en a plus pour longtemps ; dès le début, la gravité de la blessure ne lui a pas échappé. À travers sa longue vie de médecin, il a toujours voulu accompagner ses grands malades jusqu'à l'ultime départ.

La jeune femme aura rendu son dernier soupir bien avant l'arrivée de l'ambulance. Il se félicitait d'avoir éloigné le franc-tireur qui avait perturbé Anya et qui aurait fini par inquiéter Marie.

À présent ils s'efforcent, ensemble, de donner réalité, consistance, à l'image de Steph. Ils l'évoquent descendant la pente, courant vers eux, s'approchant de plus en plus vite, les coudes au corps :

— Son retard s'explique, il a dû subir des contrôles pour pénétrer dans ce quartier qui n'est pas le sien. Il sera bientôt au bout de la rue. Nous le verrons de très loin. Son chandail bleu ne passera pas inaperçu ! Nous te tiendrons au courant.

Ils mentaient. Ils mentaient bien. Ils finissaient par croire à leurs mensonges.

— Ma petite fille, je l'ai vu de près, il est vraiment beau ton amour, lui souffla-t-elle.

Elle la tutoyait, elle aurait pu être sa grand-mère :

— Ma petite fille, ma petite fille chérie, tout est bien.

— Bientôt on fera une fête, tous les quatre, ajouta Anton.

Du fond de la souffrance, Marie parvint à sourire, une fois de plus.

Au bout d'une rapide et longue marche, arrivé à l'embranchement qui donnait sur les bâtiments hospitaliers, Gorgio n'y trouva que ruines.

En grande partie détruite par une voiture piégée, la bâtisse gisait dans un éboulis de gravats, un éparpillement d'appareils électroniques, de portes fracturées, d'armoires et de tables démolies, de lits disloqués, de papiers dispersés.

Vidé des malades qu'on avait pu sauver, débarrassé de ses morts, l'hôpital était réduit à un vaste champ de dévastation. Quelques murs, encore debout, exhibaient de larges brèches qui annonçaient leur prochain écroulement. On aurait dit un château de cartes, aux trois quarts anéanti, qui n'attendait qu'une chiquenaude pour culbuter dans le néant.

Gorgio avança parmi les décombres. Au comble de la fureur, il envoya des coups de pied au bas des murs. La poussière l'enveloppa d'un nuage grisâtre.

Qui avait perpétré cette insanité ? Était-ce quelqu'un de son camp ? Comment aurait-il agi, si cet ordre lui avait été donné ? Quelle cause cela servait-il ? Il continuait à ruer dans les pierres, à trépigner de rage. Saisissant son fusil à deux mains, il tournoya dans tous les sens comme s'il cherchait à surprendre un des criminels qui avaient démoli l'établissement.

Cet hôpital lui était familier. Il y a une dizaine d'années, sa mère y avait été soignée, puis guérie. Ce souvenir le bouleversa.

Il n'avait que douze ans à l'époque. Pour fêter la sortie de sa mère, il avait arraché une rose sur la pelouse interdite du jardin dans l'intention de la lui offrir. Une épine lui avait entaillé le pouce, qui s'était mis à saigner et qu'il avait aussitôt entortillé dans un mouchoir.

— Tiens, cette rose est pour toi maman, dit-il en arrivant dans sa chambre.

Elle rayonnait de joie, d'émotion, et le prit dans ses bras, tout contre elle.

— Merci mon bel enfant, merci...

Il éprouva une sensation tiède, douce, moelleuse, qu'il aurait voulu prolonger.

Découvrant la main qu'il cachait derrière son dos et le mouchoir imbibé de sang, son père devina le larcin. D'un geste il arracha Gorgio de sa mère :

— Voleur, sale petit voleur ! hurla-t-il. Où l'as-tu prise cette rose ?

Sa mère s'interposa, serra la main bandée entre les siennes, la couvrit de baisers :

— Il l'a fait pour moi. Rien que pour moi !

Le père secouait la tête, il avait une barbe pointue, bien taillée, qui se dressait à chaque mouvement de menton.

— Tu le pourris. Tu l'élèves contre tous les principes.

La barbe noire dramatisait encore plus l'implacable visage. Les traits de sa mère s'effondraient, ses joues devenaient d'une pâleur mortelle.

Une heure plus tard, accompagnée et soutenue par une cohorte d'infirmières qui lui étaient attachées, elle pénétra dans la Mercedes, suivie de Gorgio.

Excédé par la scène et les signes de sympathie qui se prolongeaient, le père trépignait devant son volant.

— Cette sentimentalité idiote ne fait que nous retarder, dit-il, de plus en plus irrité.

Au début du conflit qui allait s'emparer du pays, Gorgio et son père avaient eu, une fois de plus, un grave différend.

Ce dernier avait renoncé à sa barbe, mais accusait dix années de plus. Les deux hommes s'étaient injuriés. Ils en étaient venus aux mains.

— Je m'en vais ! criait Gorgio. Je ne reviendrai jamais plus. Je vais rejoindre l'autre camp, celui de tes ennemis.

Sa mère s'interposa ; elle s'accrochait au bras de son fils, à son tricot, au pan de sa chemise :

— Ne fais pas ça. Je t'en supplie. Ton père t'aime, je te le jure. Il ne sait pas te le dire.

Gorgio l'avait repoussée brutalement... Elle aurait glissé sur le carrelage sans le secours de son époux :

— Je te maudis, hurla celui-ci. Tu vas jusqu'à frapper ta mère. Ne remets jamais les pieds ici. Jamais plus.

Gorgio était parti en courant.

Le saccage, l'anéantissement de l'hôpital évoquaient de nouveau l'image de sa mère tremblante, livide, s'efforçant d'accorder l'inconciliable.

La destruction avait sans doute eu lieu il y a plusieurs jours ; vivant isolé et tranquille dans son no man's land, où il reprenait goût à l'existence, Gorgio n'en avait rien su.

Une poussière opaque recouvrait les décombres d'un linceul grisâtre ; celles-ci n'avaient ni forme ni odeurs. On aurait dit un décor cauchemardesque, mais abstrait. Gorgio s'en détourna ; ces ruines ne le concernaient plus.

Il fouilla dans la poche de son pantalon kaki pour s'assurer que son carnet de citations était en place. Il reconnut au toucher la couverture en moleskine. Cela le rassura. Il ne pouvait plus se passer de ces voix.

Pressé d'en finir avec ce monde en loques, Gorgio ne rêvait que de retrouver son antre, ses armoires débordantes de victuailles, son frigo à moitié plein, son îlot au 9e étage de l'immeuble abandonné.

— Là-haut, je fais ce que je veux. Là-haut je suis un aigle. Un roi. Un gouverneur !... Et même un penseur, se dit-il étonné.

Avant de retrouver le domicile qu'il s'était choisi, il lui fallait trouver une ambulance et ramener celle-ci au plus tôt jusqu'à l'endroit où gisait la jeune femme. Il en ressentait l'urgence et l'obligation.

Cette face exsangue qui l'obsédait se posait comme un masque sur le visage de sa mère. Il ferma les yeux pour chasser ces visages qui se juxtaposaient avec leur même pâleur et leurs gémissements qui se faisaient écho.

Il décida de rejoindre les quais en bordure du fleuve. Il bifurqua vers la grande rue qui se poursuivait jusqu'au pont et se hâta dans cette direction, persuadé que là-bas il pourrait se renseigner, trouver d'autres services hospitaliers, ramener enfin cette sacrée ambulance !

— Tu es fou, vociféra le chauffeur, tandis que Steph, après s'être péniblement frayé un chemin dans la foule, enfonçait la portière d'un brusque coup d'épaule.

L'autocar, qui avait quitté le pont depuis plus d'un quart d'heure, s'était engagé sur une autoroute et avait pris de la vitesse.

Steph bondit hors de l'ouverture béante, tandis que les passagers poussaient des cris de terreur.

Pour rien au monde Brako n'aurait freiné ou ne se serait arrêté. Qui était ce dément ? Sans doute celui qui avait hurlé : « Où est le prochain arrêt ? ». Il lui avait pourtant fait passer le message ; mais ce fou était sans doute de ceux qui n'en font qu'à leur tête, au risque de provoquer un accident. Pourquoi était-il monté dans le car puisqu'il comptait en descendre aussi rapidement ? Cette drôle de guerre déglinguait tout le monde, désaxait les jeunes comme les vieux. Ce passager délirant devait se prendre pour un héros, un caïd !

Dans la propre famille du chauffeur, fils et neveux avaient choisi des camps différents. L'atmosphère devenait irrespirable. Les filles s'en mêlaient aussi, se transformant en viragos, en pasionarias ! Sauf quelques-unes, des mères surtout. En dépit de leurs appartenances elles s'étaient liguées pour organiser des rassemblements et réclamer la fin des massacres. Bravant leurs groupes, leurs religions, leurs âges, elles marchaient côte à côte en se tenant par le bras.

Il en résulta peu de chose. Deux d'entre ces femmes étaient mortes, victimes de farouches guerriers qui prétendaient que leur place était au foyer et non pas dans la politique.

Le chauffeur en avait assez. Assez de tous et de chacun! Assez de ce pays et de l'humanité entière! Mais il fallait vivre et faire vivre les siens... Son autocar usagé lui permettait de gagner quelques pécules en ces temps de pénurie, bien que la plupart des voyageurs prenaient place sans verser la moindre somme.

Brako utilisa d'abord les services d'un vieil oncle, qui se faufilait parmi les passagers pour surprendre les fraudeurs. Mais ce dernier se découragea très vite. S'étant débrouillé pour atteindre sans encombre un âge avancé, il ne comptait pas, même pour le bénéfice de son bienaimé neveu, périr par suffocation.

Brako n'y pouvait rien et devait se contenter de sommes modiques. Il se sentait usé du dehors comme du dedans. Sa chevelure clairsemée, sa jaquette élimée, ses chaussures sept fois ressemelées, son visage ridé avant le temps, tout contribuait à le démoraliser. Il gratta son épaisse et martiale moustache, tâta son ventre dont les aimables rotondités avaient fondu, se désola d'avoir perdu le goût de boire, de manger et de faire l'amour en cachette de son épouse.

Ce pays égaré, son pays, « Mon pauvre pays », disait-il en soupirant. Il l'aimait malgré tout, sa patrie, viscéralement. Pourtant elle lui en faisait voir! « Je te hais, mais je t'aime », marmonnait-il, persuadé qu'il ne s'expatrierait jamais. Pas comme : « Ces richards, ces fuyards... » qu'il méprisait.

Le cinglé qui venait de sauter hors du car avait une tête d'étranger. Ces gens-là ne faisaient que compliquer la situation, Brako se demandait souvent s'ils n'étaient pas responsables du malheur survenu.

— Refermez bien la portière! cria-t-il aux passagers les plus proches.

Ce fut vite fait.

— Cet enfant de pute a failli nous faire avoir un accident grave. Ce qui lui arrivera, je m'en fous. Lui au moins mérite son sort.

L'approbation fut générale. À l'arrière de la voiture, une voix s'éleva :

— Pas besoin de s'en faire pour lui! Je le vois à travers la vitre, il s'en est tiré. Il est debout sur ses jambes comme un démon.

— Eh bien que le diable l'emporte! grommela le chauffeur en pressant sur la pédale.

— Ma petite fille, répétait Anya.
— Ma petite fille, reprenait Anton.
Leurs voix se greffaient l'une à l'autre.
— Il accourt...
— Il vient...
— Il arrive...
— Il sera bientôt auprès de toi.
Marie avait repris confiance. La douleur diminuait. Il lui semblait flotter sur le dos, le long d'une rivière, dans une douce attente. Elle respira profondément.
Anton sentait la fin venir.
Lui et sa femme tournaient cependant leurs regards vers la rue qui remontait en légère pente. Absurdement, déraisonnablement, comme si leurs paroles à elles seules finiraient par métamorphoser la réalité.
Vide, dramatiquement vide, la rue les défiait. Vacante, solitaire, nue, elle étendait devant leurs yeux son espace désert. L'apparence de cette rue abandonnée, la certitude d'avoir vu disparaître Steph auraient dû tarir tout espoir.
Anya revoyait l'autobus, le chandail bleu, l'engloutissement dans le car... La main de son compagnon saisit la sienne :
— À toi, continue, lui souffla-t-il.
Elle se sentait incapable de formuler une seule parole, il n'insista pas et, se penchant au-dessus de la jeune femme, il lui glissa à l'oreille :
— Rien n'est beau comme l'amour, ma petite fille. J'ai vécu longtemps, je le sais... Tu peux me croire.
Ces mots-là, au moins, étaient véridiques.

Soudain, Anya se redressa et cria vers la rue cruellement déserte :

— Il viendra, je le verrai la première et tu le sauras,
petite. Il viendra !

Après avoir sauté de l'autobus en marche, Steph eut la chance d'atterrir sur un talus sablonneux. Son corps, roulé en boule, avait à peine subi le choc. C'était un athlète aux réflexes rapides, champion de saut à la perche, il y a quelques années.

Dès qu'il toucha terre, Steph se remit debout, palpa ses épaules, son dos, ses reins. Tout fonctionnait. Il jeta un dernier coup d'œil sur l'autocar vert à la peinture écaillée qui s'éloignait très vite. Lui tournant le dos il reprit sa marche en sens inverse.

À sa montre, il était quatorze heures. Il se dirigea à grands pas vers le quartier où habitait Marie. Ce quartier était sans doute moins tranquille que ce qu'il avait supposé, peut-être avait-elle été empêchée de le quitter ? Pourquoi n'y avait-il pas songé plus tôt ? Sa déception l'avait aveuglé ; souvent irascible, il se laissait surprendre par ses colères.

— Parfois tu me fais peur, disait Marie.

Il ne lui ferait plus jamais peur. Jamais plus.

Il lui fallait une trentaine de minutes pour rebrousser chemin, pour se frayer passage au milieu de cette foule compacte qui remontait le pont en direction opposée.

Plus loin, il s'engagerait dans la grande rue en légère pente, qui descend vers l'immeuble où logeait Marie ; il en connaissait l'adresse. Au début de son séjour il avait fréquenté ce quartier où se trouvaient un centre commercial et une importante librairie.

Peut-être qu'il croiserait Marie en chemin ?

Presque au même moment, Gorgio atteignait la sortie du pont, espérant qu'on lui fournirait des renseignements concernant l'ambulance.

Il s'étonnait de l'énergie, de l'obstination qu'il déployait pour venir au secours de la jeune femme. En quoi cette dernière le concernait-il? Il ne comprenait pas son malaise. Était-ce d'avoir vu de si près ce jeune visage si proche de la fin? Était-ce le rejet de la mort, le refus de la donner? Était-ce cette proximité soudaine?

Les aviateurs qui déversent leurs bombes à des kilomètres au-dessus des villes et se retirent; les fabricants de voitures piégées, les manipulateurs de canons à longue portée n'atteignent que des anonymes; leur nombre gomme l'individu. Gorgio n'avait pas connu de combat rapproché, mais il avait feuilleté dans la bibliothèque de l'écrivain un livre fait de lettres de poilus de la guerre de 1914-1918. Leurs révélations étaient atroces. La peur, l'horreur, le face-à-face, l'ennemi que l'on transperce, à la baïonnette, pour sauver sa propre peau. D'horrifiants souvenirs...

Ici la sauvagerie s'était déchaînée; Gorgio n'en avait jamais été le témoin oculaire. Il avait pourtant entendu parler d'exterminations en masse, de blessés traînés derrière des voitures, de tueries à la hache, de viols, d'écartèlements. Ces descriptions, ces récits, se déroulaient comme sur un écran, sans véritable lien avec la réalité.

Il se demanda soudain s'il aurait pu tuer de sang-froid, plonger un glaive dans la chair d'un autre, ou lui faire sauter la cervelle d'une balle? Il ne s'en croyait pas capable.

Il songea à son père, à son regard méprisant, à leurs querelles. Parfois il avait souhaité sa mort. Mais aurait-il pu le tuer?

Le souvenir de la jeune femme étendue, haletante, livide, effaça d'autres pensées.

Gorgio pressa le pas.

— J'aime cet homme que j'ai failli quitter pour toujours, se disait Anya. L'absurdité ou la signification de l'existence s'affrontaient sans cesse.

Leurs trois enfants s'étaient expatriés, leurs cinq petits-enfants étaient devenus des adultes. Ils se voyaient peu, mais elle savait les liens libres et tendres qui les unissaient. Anya et Anton avaient perdu leurs propres parents à tous les âges ; souvent trop jeunes, parfois si vieux. Ils éprouvaient la crainte de peser sur les leurs, la peur de dépendre. La sortie était imminente, ils se demandaient comment la mort se présenterait.

S'étant connus à seize ans en leur chair savoureuse, en leurs visages ensoleillés et lisses, ils ne se voyaient pas vieillir ; ou bien cela n'importait plus.

Le passé pénétrait le présent, écartant les poussières et l'usure. Ils s'exprimaient, souvent, avec des mots d'adolescents, confrontaient leurs nudités sans gêne aucune. Ils étaient frères et plus que frères ; amants et plus qu'amants. Leurs regards entremêlaient tous leurs âges.

Malgré quelques résistances, quelques impatiences, ils s'acceptaient, ils s'accordaient, s'émerveillant d'être encore là, et de s'être retrouvés. Le privilège d'une longue vie leur avait accordé le temps de s'aimer, de se séparer, de s'aimer encore. Ils n'imaginaient plus une existence qui les priverait l'un de l'autre.

Une vague de froid s'empara de la jeune femme. Elle frissonna malgré la chaleur.

Anya s'empressa d'ouvrir sa valise et d'en tirer une large écharpe en laine dont elle la recouvrit. Elle souffla, réchauffant de son haleine chaude les joues livides, les paupières closes. Elle prit enfin les mains tremblantes et glacées entre les siennes et les frotta lentement.

Les rôles auraient dû s'inverser. N'est-ce pas plutôt à la vieillesse de s'éteindre ? Elle éprouva un malaise à l'idée d'être encore vivante et en suffisante santé, tandis que d'autres, tellement d'autres, disparaissaient à la fleur de l'âge.

Sa trousse de médecin ne lui servait plus à rien ; Anton sentait la fin approcher, et l'impossibilité de venir en aide à la jeune femme.

Si Anya avait été là, étendue sur le sol, à la place de l'autre, elle aurait eu Anton auprès d'elle ; et le départ aurait été accepté. Pour Marie tout était irrémédiablement gâché.

On ne lui offrait qu'illusion en insistant sur l'arrivée de Steph. On trahissait la vérité, on inventait un mirage.

C'était pourtant cela qu'il fallait faire, Anya en était convaincue.

Elle s'enfonçait de plus en plus dans ce mensonge, dans cette fiction, qui allégeait les dernières minutes que Marie avait à vivre.

Sur l'autre rive, qu'est-ce qui nous attend ? Anya se sentait incapable de l'imaginer.

Elle ne connaissait et ne reconnaissait que ce monde-ci. Mais les humains ont tellement soif d'un ailleurs, tellement le goût de l'indicible, tellement besoin d'absolu ! Refuser de disparaître conduisait vers les religions, vers la création, vers l'art, vers l'étrange, vers l'insolite, vers le terrifiant aussi. Et l'amour, l'amour dans tout cela ? Cet amour qui n'est peut-être que le désir de sortir de sa peau, de rejoindre l'autre, de s'ouvrir à de vastes horizons, d'approfondir le mystère au fond de chacun. Pourquoi, dans quel but cette quête sans réponse se trouvait-elle au cœur de l'humanité ? Résurrections, vies éternelles, jardins paradisiaques, Anya refusait d'y croire. Quant au symbole de la goutte d'eau rejoignant en fin de course l'océan primordial, cette vision ne la satisfaisait pas.

— Que fait-on de cette mémoire qui nous construit ?

Anton avait des vues plus mystiques. Passionné par Jean de la Croix, Thérèse d'Avila, le poète Rūmī, il ne rejetait ni l'extase ni l'illumination.

Elle se tourna vers lui :

— Demain, où serons-nous, mon amour ?

Il se pencha pour l'embrasser, lui non plus n'avait pas de réponse.

Elle se remit à chantonner :

Just as long as you stand by me
Stand by me
Stand by me
There is no fear, my love...

La traversée du pont fut plus ardue, plus longue que prévue. Steph dut faire face à une population hâve, épuisée, portant des baluchons, des valises, poussant des brouettes, défilant par vagues, espérant trouver, de l'autre côté, des véhicules qui les éloigneraient des zones de combat. Les réfugiés s'entremêlaient, se disloquaient, se rassemblaient, se repoussaient. Ébranlés par la peur et leurs récentes souffrances, ceux-ci ressemblaient à une tribu de fantômes, livides et pathétiques, en complète déroute.

Engagé dans le chemin inverse de celui qu'empruntait la cohue Steph était sans cesse bousculé, retardé, retenu par cette foule apeurée.

Parfois, une main s'accrochait à son bras, d'autres fois un corps lui barrait passage. Des voix anxieuses le questionnaient sur les raisons de son retour :

— Où vas-tu ?

— Tu prends la mauvaise direction.

— Qu'y a-t-il de l'autre côté qui t'a fait fuir ? Dis-le nous.

Il repoussait les mains qui s'agrippaient à lui et tentait de les rassurer :

— Votre direction est la bonne. J'ai perdu ma femme, je retourne la chercher. Laissez-moi passer.

La foule s'écartait, docile, compatissante.

— Bonne chance !

— Pourvu que tu la retrouves…

Steph s'extirpait de cette masse compacte qui n'avait pour but que s'éloigner, fuir le plus loin possible. Il s'arrachait non sans mal de cette foule composée de visages hagards, de corps en perdition.

Il cherchait aussi à se dégager de leur emprise et du sentiment de pitié qui l'envahissait.

Il reprit sa route, d'un pas décidé, de plus en plus convaincu que Marie l'attendait chez elle ou bien au bas de son immeuble.

Elle avait sans doute fait partie de ces rares obstinés qui croyaient à la fin imminente des combats et qui avaient décidé de demeurer sur place.

Comment avait-il pu douter d'elle? Et pourquoi?

Toujours à la recherche d'une ambulance, Gorgio arriva peu après Steph à l'orée du même pont.

Saisissant par la manche un homme âgé qui portait un bandage autour de la tête, se cramponnant à lui, il demanda :

— Tu as été blessé, on t'a soigné, indique-moi vite l'hôpital ou le dispensaire d'où tu viens.

Apercevant la mitraillette que Gorgio tenait pourtant canon au sol, l'homme paniqua. Il repoussa des deux mains celui qui le questionnait, et, lui tournant brusquement le dos, s'enfonça dans la foule.

Une femme aux cheveux outrageusement roux eut la même réaction. Elle s'empressa d'en avertir le voisinage.

— Cet homme à la casquette est armé, prenez garde.

L'hostilité, la méfiance encerclaient Gorgio, il ne pouvait tout de même pas se débarrasser de son arme pour les apaiser.

Il aperçut enfin un gendarme juché sur une petite estrade qui s'efforçait de guider la foule dans les bonnes directions. Celui-là au moins ne serait pas épouvanté par une mitraillette !

— Hé, là-bas, capitaine ! cria-t-il, espérant l'amadouer en le gratifiant d'un grade élevé.

— Que me veux-tu ? hurla l'autre.

Essayant de camoufler son fusil, Gorgio manœuvra le plus habilement possible pour atteindre l'homme perché sur son piédestal. En avançant il réalisa que son arme lui rendait service ; grâce à celle-ci les gens s'écartaient pour le laisser passer.

Suant à grosses gouttes, le gendarme relevait de temps à autre son képi pour se tamponner le front d'un large mouchoir.

— Il me faut une ambulance vite. Très vite ! lui cria Gorgio.

— Une ambulance pour qui ? répliqua Fodl tout en gardant l'œil fixé sur la voiture d'un notable qu'il venait d'extirper avec peine du chaos. Il avait rapidement reconnu et respectueusement salué ce dernier dont la photo revenait périodiquement en première page des journaux.

— Là-bas, près de l'Hôtel de Ville, quelqu'un se meurt.

— Quelqu'un se meurt !

Le gendarme haussa les épaules :

— Quelqu'un se meurt ! répéta-t-il. Qui ça, quelqu'un ?

— Je ne sais pas… Une femme. Une jeune femme.

— Une jeune femme ! Mais ici, tout le monde crève… C'est le monde entier qui croule ici !

— Réponds-moi, insista Gorgio. L'hôpital est détruit. Où faut-il que j'aille pour trouver du secours ?

— Je n'en sais rien, répliqua l'autre excédé. C'est qui, cette femme ? Une parente à toi ?

— Non, je ne la connais pas

— Elle n'est même pas de ta famille ?

— Quelle importance !

— Ne viens pas m'embêter avec tes réponses et tes questions. Je ne peux pas être partout à la fois, et tu vois bien tout ce que j'ai à faire. Tu pourrais m'aider à mettre de l'ordre dans ce chambardement plutôt que de t'occuper des morts.

— Elle n'est pas morte, je te dis. Elle a été blessée…

— Par quoi ?

— Une balle en plein dos.

Fodl le toisa avec méfiance :

— Cette balle, c'était la tienne ?

Gorgio ne daigna pas répondre.

— Tu l'as quittée depuis combien de temps ?

— Plus d'une heure.

— Alors je te le dis, avec une balle en plein dos, cette femme-là, à présent, n'est plus qu'un cadavre... Ne me fais plus perdre mon temps avec des choses inutiles!

Durant quelques secondes Gorgio pensa que le gendarme avait raison et qu'on ne pouvait pas survivre à cette sorte de blessure; il perdait son temps à s'agiter, à s'inquiéter. Pourquoi s'obstinait-il ainsi? Il regretta ses heures de solitude dans l'immeuble aux trois quarts démoli. Là il était son seul maître, là il régnait. Là il fouillait dans les armoires, essayait divers vêtements, et même, par amusement, des robes de femme. Il utilisait parfois des fards, des parfums, jouait divers personnages face aux multiples miroirs de la salle de bains.

D'autres fois il écoutait de la musique ou lisait, vautré sur un canapé. Il lisait, lisait, lisait comme jamais auparavant! De temps à autre, pour se donner l'impression d'exister, de prendre part au combat, il visait un passant ou les pneus d'une voiture égarée. Il tirait de plus en plus juste et ratait rarement sa cible.

Ayant décidé une fois pour toutes que ceux qui passaient dans cette rue étaient des ennemis, ou du moins des adversaires, Gorgio n'éprouvait aucun scrupule à les descendre, il en ressentait plutôt de la fierté. Ennemis de qui, de quoi? Il préférait ne pas trop s'interroger à ce sujet.

D'ici quelques jours il ferait un rapport à son camp, à ceux qui lui avaient confié cette arme. Drôle de camp qu'il avait rejoint dès le début des hostilités. Un camp qui fusionnait tantôt avec ceux-ci, tantôt avec ceux-là, se coalisant, se divisant, se subdivisant, se ralliant de nouveau. Gorgio en perdait le nord et se demandait si tout cela lui importait encore.

Il palpa sa longue poche, y glissa sa main, reconnut une fois de plus le carnet de moleskine et se sentit de nouveau rassuré. Quelle part de son caractère intempestif, brouillon, s'accordait-elle à toutes ces pensées inscrites, page après page, dans une écriture qu'il s'appliquait à rendre lisible : «Les gens gagnent à être connus... ils y gagnent en mystère. » Jean Paulhan, se souvint-il. Quel était son propre mystère ? Le découvrirait-il un jour ?

— Alors, tu viens m'aider ? vociféra Fodl. En les menaçant de ta mitraillette tu pourrais calmer cette foule et la faire reculer. Ils m'encerclent de partout, ils vont bientôt m'étouffer. Aide-moi à mettre de l'ordre dans ce bordel. Si on t'a confié une arme, c'est pour que tu t'en serves. Réponds-moi. Eh ! tu t'en vas ! Tu repars ? Fils de salaud ! Gueule d'assassin ! Je te connais, c'est de dos que tu attaques. Disparais ! Surtout ne me pose plus de questions. Jamais plus !

Le gendarme trépignait, écumait de fureur. Poursuivi par ses hurlements, Gorgio s'éloigna aussi rapidement que possible. Il se sentait perdu et sans repères. Il eut soudain envie de se perdre dans cette foule ; de sombrer dans cette multitude démunie, dépossédée, pourchassée, et qui le rejetait à cause de cette mitraillette.

Il chercha à s'en débarrasser. Elle lui pesait soudain, déformant, trahissant sa propre personne. Il chercha à s'en défaire sans y parvenir. Qui était-il au fond ? Il ne l'avait jamais su, il se sentait perdu.

Les jurons, les malédictions du gendarme continuaient de l'atteindre, le transperçant comme des flèches.

Toujours agrippé à son arme, dont il n'arrivait pas à se débarrasser, il décampa en vitesse.

La voix criarde de Fodl le poursuivit un long moment. La distance l'amenuisa. Les cris se dissipèrent peu à peu.

Marie s'agitait, haletait, respirait de plus en plus mal, tentait de toutes ses forces de se maintenir en vie jusqu'à l'arrivée de Steph.

Par instants, elle était convaincue qu'elle n'y parviendrait pas. La blessure était grave, elle le sentait bien, malgré ses efforts pour la sauver, le vieil homme n'y pouvait plus rien. À d'autres moments, elle se persuadait qu'elle allait vivre et vaincre l'aveugle mort.

Elle souhaitait surtout être encore vivante pour l'arrivée de Steph et partager avec lui quelques minutes. Elle devait s'y appliquer, se rassembler, tenir le coup ; s'ancrer à l'existence jusqu'à cette dernière rencontre.

Elle respirait le plus calmement possible, ménageant son énergie, s'agrippant à l'espoir, tandis que l'existence s'effritait, s'émiettait comme du sable.

Son travail de tant d'années, ses photos récoltées aux quatre coins du monde ne lui appartenaient plus. Les chagrins s'effaçaient, les succès s'éclipsaient. Tout s'éloignait, tout paraissait vain. La vie n'était que bref passage sur cette mystérieuse planète qui continue de pirouetter, imbue de son importance, comme une danseuse étoile sur la scène des astres ! Comment peut-on se prendre au sérieux quand l'existence est si éphémère et qu'elle ne cesse de courir vers sa fin ?

Marie s'élançait pourtant avec passion vers de nouvelles aventures, vers de nouveaux projets ; l'absurde vie s'illuminait sans cesse de lueurs et d'étincelles. L'élan renaissait, justifiant l'existence et l'émerveillement d'être au monde.

Marie s'était mise à croire de plus en plus fort à l'arrivée de Steph.

Elle s'attendait à le voir surgir d'un instant à l'autre, les coudes au corps, dévalant la grande rue. Magnifique, rayonnant, se précipitant jusqu'à cet endroit où elle gisait étendue, enveloppée dans le châle multicolore d'Anya.

Elle souhaitait qu'on la redresse pour ne rien perdre de cette course. Elle remua et gémit pour se faire comprendre.

Anya comprit. Aidée par Anton, avec d'infinies précautions, elle la fit asseoir face à la rue, et s'installa derrière elle, les jambes écartées, l'adossant contre sa poitrine. La rue s'étalait, large, visible.

« C'est bien, mes yeux voient encore », se dit Marie.

La plaie saignait toujours. Les lambeaux de la chemise blanche qu'Anton avait transformée en pansements, étaient maculés de sang.

— Ma petite fille, tu verras comme il t'aime, lui souffla Anya.

Marie ne fut plus que ce regard tendu vers l'horizon.

Gorgio traversa facilement le pont. Il se félicitait d'avoir conservé sa mitraillette ; la seule vue de l'arme poussait les gens à s'écarter.

Parmi le flot des réfugiés, à pied ou en auto, à bicyclette, en carriole, en camion ou même en fiacre, il ne croisa aucune ambulance.

Un peu plus loin, un homme d'une soixantaine d'années aux cheveux gris, d'imposante stature, portant cravate et veston, s'acharnait à mettre de l'ordre dans ce capharnaüm. Gorgio s'approcha :

— Je cherche une ambulance. Je viens de traverser le pont. Dans quelle direction faut-il aller ?

Sur le point d'abandonner à leur triste sort cette foule en débâcle et ce ramassis de véhicules, l'homme, épuisé, s'empressa de rejoindre son interlocuteur.

— Aucune chance de ce côté-ci. Il faut que tu retraverses le pont et que tu te diriges vers le musée. Une fois là, tu bifurqueras…

Du coin de l'œil il venait d'apercevoir la mitraillette. Était-ce la peur ou une soudaine considération pour ce gamin porteur d'arme, il adopta, soudain, le vouvoiement :

— … Vous bifurquerez sur votre gauche. À peu de distance vous trouverez un poste permanent de gendarmes, et de pompiers, des ambulanciers aussi.

— L'hôpital a été entièrement détruit, dit Gorgio.

— Je sais, j'habitais à côté.

— Et maintenant ?

— Je suis comme tout le monde… Je fuis !

— Avec votre famille ?

— Ma famille est à l'abri, à l'étranger, depuis long-temps. J'avais tout prévu... Mais c'est pire que tout ce que j'avais imaginé. Quel désastre !

— Pourquoi êtes-vous resté ?

— J'avais des affaires à régler.

Craignant d'en avoir trop dit, il posa une main pater-nelle sur l'épaule de Gorgio, et revenant au tutoiement :

— Tu es un brave ! Et c'est une belle arme que tu pos-sèdes là !

— Je repars, conclut Gorgio. Cette ambulance c'est urgent. Il faut que je la trouve très vite. Du côté de l'Hôtel de Ville quelqu'un se meurt...

— Quelqu'un ? demanda l'homme ébahi.

Cet individu lui semblait moins agressif que le gen-darme mais Gorgio ne souhaitait pas entamer de nouveau une polémique, il avait déjà perdu assez de temps :

— Bonne chance pour vous et votre famille ! lança-t-il en tournant les talons.

Steph courait, courait vers l'immeuble de Marie. Il monterait à pied les cinq étages, il sonnerait à la porte, il la verrait enfin, à moins qu'elle ne soit déjà dans la rue.

Il se ferait pardonner, il le savait. Ils se pardonnaient toujours. Malgré la tragédie qui s'était abattue sur ce petit pays, il ne pensait plus qu'à une chose : la rejoindre. Ensemble, ils décideraient de ce qu'il restait à faire. Dorénavant, il prendrait toujours son avis.

Les ruelles étroites, qu'il franchissait au pas de course, s'ouvriraient bientôt sur la grande rue qui glisse en légère pente vers le quartier où se situe l'appartement que Marie avait loué pour un an. Le centre de la ville se trouvait plus loin et grouillait d'une population inquiète, excédée. Le quartier de Marie, qui avait subi les premiers bombardements, s'était vidé de sa population ; quelques personnes y demeuraient encore dans une relative sécurité.

En habitué du jogging, Steph courait sans s'essouffler. Ses mollets avaient gardé leur élasticité, ses pieds rebondissaient dans leurs baskets à triple semelle, ses articulations étaient souples. Il respirait à grandes goulées, sans haleter. La jeunesse était un privilège, il en était conscient. Combien de temps durerait-t-elle ? Steph était persuadé qu'en disciplinant son corps, cela pouvait durer des années... Il se sentait fort, capable de franchir tous les obstacles ; capable de lutter plus tard contre les affaiblissements de l'âge.

Steph s'élance toujours... Dans quelques secondes il atteindra la grande rue.

Si Marie guette à sa fenêtre elle pourra l'apercevoir, de très loin, accourant vers elle.

Marie l'aperçut de loin.

De très loin Marie l'aperçut.

Elle l'a tout de suite reconnu, tout au bout de la rue, dévalant vers elle. Des ondes circulent dans son corps ; elle les ressent dans sa nuque, dans ses bras, dans sa poitrine. Elle ne sait plus qui remercier.

Son visage irradie. Elle murmure :

— C'est toi, mon amour.

Les mots renaissent. L'œil voit plus clair. Les mains se mobilisent, les doigts se tendent. Elle voudrait chanter, célébrer tout ce qui remue et rythme l'univers. Elle se contente de savourer ce bonheur, de s'en délecter, de se couler dans cette houle de joie que la vie lui offre. Il lui suffit – tandis que Steph court vers elle – de se laisser porter, transporter par cette rivière heureuse.

Steph se rapproche, Steph grandit à chaque foulée. Marie s'ancre dans la vie, s'amarre à l'existence aussi fort qu'elle peut. Leur amour aura lieu. Ils vont bientôt se réunir, se rejoindre. Son corps ne la trahira pas. Elle lui fait confiance.

Quelques minutes, quelques minutes encore : l'amour est en chemin. Elle y croit tellement. Tellement.

À leur stupéfaction Anya et Anton viennent de reconnaître le jeune homme qui descend la pente en courant, son chandail bleu capte la lumière. Comment est-ce possible ? Elle était sûre de l'avoir vu disparaître. Pourtant il est là. Bien là. C'est lui, Steph, elle ne peut en douter. Anya se rapproche pour maintenir Marie bien adossée contre elle, presque assise.

— Tu vois, petite, je te disais qu'il viendrait...

Anton, debout, fait de grands signaux vers Steph pour lui indiquer la place où ils se trouvent. Sans prendre garde, ce dernier poursuit, à toute vitesse, sa course en avant.

— Bientôt, bientôt il sera auprès de toi, répète Anya.

Steph fonce droit devant lui, en direction de l'immeuble, sans apercevoir le petit groupe tassé au bord du trottoir.

— Par ici, par ici jeune homme! hurle Anton.

Steph continue de courir tout droit sans rien voir. Anton descend au beau milieu de la chaussée; jambes et bras écartés, il occupe toute la place. Il crie, il multiplie les signaux :

— Ici. C'est par ici.

Steph se demande pourquoi ce vieil homme cherche à lui barrer passage.

Steph s'immobilise. Lui et Anton se font face.

— Pourquoi m'arrêtez-vous? Qu'est-ce qui se passe? Je suis pressé.

— Venez. C'est par ici.

Steph ne comprend pas.

Anton lui saisit le bras.

— Ce n'est pas la peine d'aller plus loin. C'est ici.

Le temps reste en suspens.

Sur le marchepied de l'ambulance, qu'il vient de réquisitionner, Gorgio se tient debout, l'arme en bandoulière.

Il indique au chauffeur le chemin à suivre. Il la connaît par cœur sa cité avec ses places, son fleuve, son grand port, sa corniche bordant la mer, ses quartiers résidentiels, ses maisons misérables, ses campements, ses boutiques, à présent éventrées, ses immeubles vomissant leurs pierres, ses vitres brisées entassées sur les trottoirs, ses chaussées défoncées, sa fausse splendeur de jadis, ses misères d'aujourd'hui.

Les trois infirmiers se sont aguerris. En quelques mois ils ont vécu plus de drames, découvert plus de tragédies qu'en toute une vie. Ils ont soigné des brûlés, des balafrés, des plaies saignantes, des gangrènes, des blessures dues à des coups de feu ou à des poignards...

Ils en auront vu des blessés et des morts, des estropiés et des cadavres. Par dizaines ! Ils se sont endurcis, au point d'en devenir presque indifférents... Sauf l'un d'eux, aux cheveux grisonnants ; celui-ci s'émeut parfois jusqu'aux larmes. Ce qui ne fait qu'agacer les deux autres.

— Tu es trop émotif. Reste derrière nous, ne t'approche que si on a besoin de toi.

— À quoi ça sert de les plaindre ? Ça te fait perdre tous tes moyens.

Gorgio ne leur a pas révélé le but de leur déplacement. C'est là son affaire. Il suffit qu'ils lui obéissent, qu'ils l'accompagnent, qu'ils sauvent la jeune femme. Ils sont équipés pour cela.

— Tourne à gauche, ensuite à droite, maintenant tout droit, ordonne-t-il au chauffeur, sans lui révéler l'emplacement final.

— Où nous conduis-tu, s'énerve l'homme au volant.

— C'est mon affaire. Moi, je le sais.

Gorgio éprouve de la fierté de pouvoir soumettre à ses décisions ces quatre individus avec tout leur équipement, mais il s'inquiète aussi de cette heure perdue à les chercher. Pourvu que ce ne soit pas trop tard.

Le chauffeur n'ose plus poser de questions ; il envierait même l'autorité de ce jeune franc-tireur. Il se promet de se procurer un revolver aussitôt que possible.

Les trois infirmiers chuchotent et se disent qu'il s'agit sans doute de quelqu'un de la plus grande importance et grièvement blessé pour que ce jeune homme, si solidement armé, ait été dépêché à sa rescousse.

Tandis qu'il les toise, eux le considèrent avec crainte et respect. Il n'est pas question de lui désobéir.

— C'est encore loin ? ose le chauffeur.

— Tu verras bien, rétorque Gorgio.

S'accrochant à son bras, Anton entraîne Steph de force vers le trottoir. Steph continue de se débattre.

— Laissez-moi, je ne peux rien pour vous. Je suis pressé. Ma femme m'attend, elle est en danger.

— C'est ici qu'on t'attend. Ici. Elle est ici.

— Qui, elle ?

— Ton amie, ta femme.

— Mon amie ?

— Elle a été blessée. La balle d'un franc-tireur l'a atteinte en plein dos, au milieu de cette rue, pendant qu'elle courait te rejoindre, raconte Anton dans un souffle.

Steph résiste encore.

— Approchez. Vous la reconnaîtrez.

Assise entre les jambes d'une femme aux cheveux blancs, Steph a d'abord du mal à la reconnaître.

— C'est toi ? Marie, c'est toi ?

Il finit par distinguer son visage derrière ce masque blême et crispé :

— C'est toi ?

C'était elle ! Ces lèvres pâles, ce teint verdâtre, ces cheveux bruns collés au crâne par la sueur, cette face marquée par la douleur. C'était bien elle ! Ce large front, la finesse de ce nez, cette bouche haletante, il les reconnaissait malgré leur pâleur.

Steph se jeta à genoux, saisit les deux mains de Marie et les couvrit de baisers :

— Qu'est-il arrivé ?

Elle frissonna, les lèvres tremblantes. Des vagues de froid parcouraient son corps. Ses yeux pourtant s'illuminaient d'une joie indescriptible.

120

Plus rien n'existe que ce moment.

Steph et Marie se touchent, se reconnaissent :

— Comme ils s'aiment, murmure Anya.

Marie aurait voulu expliquer, raconter son dernier parcours, la certitude de le rejoindre devant le pont, cette balle qui est venue tout interrompre. Le pont n'était qu'à une vingtaine de minutes de distance, elle avait été certaine d'y parvenir à l'heure indiquée.

Elle aurait voulu lui dire le bonheur de sa lettre, combien il avait raison, que la seule force vive était celle de l'amour. L'amour, elle le vivait en cet instant, intensément, même si la mort devait suivre. La mort suivait toujours... Elle aurait voulu lui livrer ces pensées qui s'amoncellent, mais les paroles se reliaient mal, s'éparpillaient en chemin, ne parvenaient pas jusqu'à ses lèvres.

Il fallait abandonner cet effort inutile, se laisser porter.

Steph s'efforçait de cacher son désarroi, et, se tournant vers Anton :

— L'hôpital ? Où se trouve l'hôpital ?

Il se sentait capable d'emporter Marie dans ses bras jusqu'au lieu où on la soignerait, où on la guérirait.

— Vite, vite, répondez-moi !

Anton lui fit signe d'approcher :

— Il ne faut pas la bouger. Je suis médecin. Sa blessure est fatale. Elle est restée en vie pour vous attendre. Le moindre geste hâterait sa fin.

— Et si je n'étais pas venu ?

— Elle serait morte depuis un long moment.

Steph se souvint de sa déception, de sa fureur devant le pont, de son départ précipité, de cet imprévisible changement. Cette décision, folle, insensée, l'avait empoigné, foudroyé, précipité sur le chemin du retour.

— Ma femme et moi lui disions que vous arriviez... Nous vous expliquerons plus tard.

— Je veux être certain qu'il n'y a plus rien à faire.

— Quelqu'un est parti chercher une ambulance. Il ne devrait pas tarder.

— Qui ça ?

— Quelqu'un qui passait par là, il y a plus d'une demi-heure, un franc-tireur je crois.

— Un franc-tireur, celui qui a tiré cette balle ?

— Je ne sais pas, répliqua Anton. Il semblait bouleversé. C'est lui qui va ramener l'ambulance. J'en suis certain. Il fallait que quelqu'un reste auprès de Marie. On ne pouvait pas la laisser seule. Ma femme a couru vers le pont pour vous donner ces quelques mots que Marie avait griffonnés pour vous.

Il tira la photo de sa poche, la lui montra. Steph lut : « Je venais… »

— Ne perdez plus de temps, insista Anton, restez auprès d'elle. C'est ce que vous avez de mieux à faire.

— Prenez ma place, dit Anya.

Steph s'accroupit, adopta avec précaution la même posture que la vieille ; aperçut la plaie dont Anton avait tenté d'arrêter le saignement. Il adossa Marie contre sa poitrine et lui parla à l'oreille, lentement. Des mots usés, des mots neufs, des mots denses, chargés d'amour. Des mots inépuisables. Des mots simples, des mots vrais :

— Je t'aime. Tu es ce qui m'anime. Je n'ai aimé que toi.

Marie ne peut retenir la vie qui s'écoule, mais elle glisse, apaisée, vers l'autre rive. Il ne lui faut rien, plus rien que ces bras qui l'encerclent et l'écho de ces mots qui lui parviennent encore.

Marie sait que sa fin est proche. Elle s'y prépare. Elle ne lui résiste plus.

Dès son jeune âge Marie songeait à la mort. La traitant d'abord en ennemie, l'apprivoisant peu à peu, l'adoptant enfin comme une compagne qui vous apprend la valeur de la vie.

Comment, le jour venu, lui ferait-elle face ? Cela, elle ne le savait pas encore.

Marie avait si souvent fixé sur sa pellicule les drames, les catastrophes naturelles, les guerres, les révolutions ; toutes ces épreuves que l'humanité ne cesse de subir. Toutes ces saignées, toutes ces sentences d'un univers aux prises avec son propre chaos ou celui qu'on lui impose. D'épreuves en épreuves, ses yeux s'étaient ouverts.

Elle ne se résignait pas à ces destructions, à ces carnages, à cette mort répugnante, vénéneuse qui surgissait sur tous les continents. Celle-là était inacceptable. Mais l'autre ?

Elle tentait d'imaginer un monde d'où la mort serait exclue, ce monde-là deviendrait démentiel avec l'enchevêtrement des générations, l'encombrement, les haines perpétuées, la confusion, les détresses, les maladies sans limites, les conflits jamais dénoués, les temps jamais révolus... L'horreur d'une éternité parfaitement inhumaine. Peut-être que la vie même y perdrait son sens. « Dans sa sagesse la vie s'inventa la mort », se disait-elle.

Qu'elle vienne donc cette mort, elle l'acceptait à présent. Mais pas trop vite. Pas trop vite. Un peu de temps encore... Encore un peu de temps...

Steph berçait Marie comme un enfant.

Il leva les yeux vers Anton et sa femme, tous les deux debout à une certaine distance, se tenaient par la main et les regardaient.

Il eut soudain l'impression de se refléter dans ce couple, qu'ils auraient pu devenir, si la vie leur en avait laissé le temps.

— Tu venais à moi, je le sais. À présent me voici. Je suis auprès de toi et je ne te quitterai jamais plus.

Il ne pouvait plus lui mentir, les événements se dérouleraient d'une manière irréversible. Tous les deux le savaient.

Marie éprouvait de moins en moins de douleurs. Elle naviguait au cœur de l'instant. Regrets, chagrins, ruptures, larmes se dissipaient.

Le corps de Steph enveloppait son corps. Ses cuisses entouraient les siennes, son souffle tiède caressait sa nuque, sa joue. Ses baisers s'enchaînaient. Marie se sentait à l'abri dans une grotte profonde et lumineuse, dans un nid éclairé du dedans.

Leurs joues se frôlaient, Steph posait ses lèvres sur ses tempes, sur ses cheveux. Ses paroles devenaient mélodie. Elles entrouvraient le passage, écartaient les murs, s'évasaient vers l'embouchure. Marie s'y glisserait, s'y faufilerait, en confiance.

Le passage se déroula calmement, sans heurt. Marie s'évada en douceur vers une substance translucide, avant de n'être plus.

Steph avait tout éprouvé. Tout ressenti.

Le visage baigné de larmes, il se dégagea, graduellement, étendit Marie sur le sol avec une attention extrême et se mit lentement debout.

Puis il la regarda un très long moment avant de lui fermer les yeux.

Anya et Anton se tenaient là, immobiles.

L'ambulance déboucha en trombe avec d'impérieux coups de klaxon.

— C'est ici, arrêtez-vous, cria Gorgio au chauffeur.

Toujours debout sur le marchepied, il s'étonna d'apercevoir une troisième personne debout près du vieux couple.

Il sauta sur le sol, chercha des yeux la jeune femme blessée. Il était impatient de la retrouver, de lui annoncer qu'il venait lui porter secours et qu'il était bien décidé à la sauver.

Tenant toujours son arme, il avança en hésitant.

— C'est le franc-tireur, s'écria Anya.

— C'est le jeune homme qui est parti chercher l'ambulance. Il a tenu sa promesse.

Steph fixa Gorgio avec méfiance. Avec son accoutrement, cette arme à ses côtés, il ressemblait à ces tueurs improvisés qu'on lui avait souvent décrits.

Steph porta sa main vers la poche de son veston, s'assura que son revolver était en place. Il ne s'en était jamais servi.

S'apercevant de la manœuvre, Gorgio bredouilla :

— J'ai amené l'ambulance... Je l'ai cherchée partout. Cela m'a pris beaucoup de temps.

Les trois infirmiers venaient de mettre pied à terre à leur tour.

— ... Les infirmiers vont s'occuper de la blessée, ajouta-t-il.

— C'est trop tard, s'écria Anya. Trop tard !

Anton avança vers les hommes en blouse blanche et plus bas :

125

— C'est trop tard. Elle vient de mourir.

Gorgio recula de quelques pas. Sa randonnée avait trop duré ; il s'en voulut de chaque seconde perdue et se mit à trembler, à bredouiller.

Puis, se rapprochant de Steph :

— Vous êtes de sa famille ?

Ce dernier le repoussa brutalement.

— C'est toi qui rôdes dans le quartier ?

Gorgio ne trouvait plus ses mots.

— C'est toi le tueur ? insista-t-il en le bousculant.

Gorgio recula :

— Non... L'ambulance... c'est moi... je voulais la sauver.

— Je ne te parle pas de l'ambulance. Je te demande si c'est toi qui as tiré sur cette femme ?

La mitraillette glissa à ses pieds. Les bras ballants, les yeux exorbités, Gorgio fixait Steph sans trouver de réponse.

Tirant le revolver de sa poche, ce dernier s'approcha, l'arme au poing, tandis qu'Anton tentait de le retenir.

— Qui te dit que c'est lui ? Calme-toi, je t'en supplie.

Le coup était déjà parti.

Gorgio le reçut en pleine poitrine et s'effondra.

Le carnet en moleskine tomba de sa poche. Quelques feuillets se dispersèrent.

« Vivre est gloire » flotta dans l'espace avant de rejoindre le sol.

Les infirmiers affolés se hâtèrent de regagner leur véhicule.

Le chauffeur, toujours à son volant, fit rapidement demi-tour.

L'ambulance s'éloigna en vrombissant.